D1020368

Là où dansent les morts

Tony Hillerman

Là où dansent les morts

Traduit de l'anglais (États-Unis)
par Danièle et Pierre Bondil

Collection dirigée par
François Guérif

Rivages/noir

ISBN : 2-86930-009-3

© Tony Hillerman, 1973
Titre original : *Dance Hall of the Dead*

© Editions Rivages, 1986
106, boulevard Saint-Germain - 75006 Paris

A Alex Atcitty, Grand Père Madman et à tous les autres qui pensent que Custer n'a eu que ce qu'il méritait.

Note de l'auteur

Les lieux qui servent de cadre à ce roman sont authentiques. Le village de Zuñi et les paysages des réserves contiguës Zuñi et Ramah Navajo sont décrits avec toute la précision dont je suis capable. Les personnages sont purement imaginaires. L'idée donnée au lecteur de la religion Shalako est celle que pourrait en avoir un Navajo s'intéressant à l'ethnologie. Elle n'a pas d'autre prétention.

Note des traducteurs

Le lecteur américain est tout aussi ignorant que le lecteur français des mœurs et des coutumes des Indiens Navajos et Zuñis. Nous avons donc décidé de respecter le choix de l'auteur, qui a disséminé ici

Carte
des environs de Zuñi

et là dans son roman les informations nécessaires à en assurer la bonne compréhension, et de ne pas alourdir le texte d'une quantité de notes explicatives et de termes en italiques. Toutefois, il nous a semblé utile de faire figurer en fin d'ouvrage un glossaire qui devrait permettre au lecteur qui en éprouverait le besoin d'avoir une meilleure vue d'ensemble de ces civilisations mal connues. Les mots suivis d'un astérisque dans la traduction pourront renvoyer à ce glossaire, leur nombre étant, dans le premier chapitre, intentionnellement limité aux termes d'ordre géographique, toujours afin de respecter l'esprit dans lequel il nous semble avoir été écrit. Nous avons en outre établi une carte de la région frontière entre l'Arizona et le Nouveau Mexique : elle se trouve ci-contre.

Enfin, certaines particularités orthographiques (accords, majuscules notamment) se retrouvent dans le texte de Tony Hillerman.

1

Shulawitsi, le Petit Dieu du Feu, membre du Conseil des Dieux et Représentant du Soleil, avait ajusté à ses pieds ses chaussures de sport à fermeture Velcro. Ainsi que l'Entraîneur le lui avait appris, il avait serré fort sur le coup de pied le ruban à crochets. Et maintenant, les pointes qui mordaient dans la terre compacte du chemin des moutons semblaient être une partie de lui-même. Il courait avec une grâce parfaitement acquise, son corps fonctionnant comme une machine, son esprit ailleurs, occupé à autre chose. Juste devant lui, là où le chemin obliquait sur le flanc de la mesa *, il allait s'arrêter, comme il le faisait toujours, se chronométrer et s'accorder quatre minutes de repos. Il savait maintenant avec une certitude triomphante qu'il serait prêt. Ses poumons s'étaient dilatés, les muscles de ses jambes endurcis. Dans deux jours,

11

quand il guiderait Longue Corne et le Conseil depuis le village ancestral jusqu'à Zuñi, la fatigue ne lui ferait pas oublier les mots du chant sacré, ni un seul pas de la danse rituelle. Et quand Shalako viendrait, il serait prêt à danser toute la nuit sans commettre la moindre erreur. Jamais les Salamobia n'auraient à intervenir pour le punir. Il se souvint de quand il avait neuf ans, l'année où Hu-tu-tu avait trébuché à l'endroit où le chemin franchit le Zuñi Wash * ; les Salamobia l'avaient fouetté avec leurs bâtons de yucca tressé et tout le monde s'était moqué de lui. Même les Navajos avaient ri, et ils ne se moquaient guère pendant Shalako. Ils ne se moquaient pas de lui.

Le Dieu du Feu se laissa à demi tomber sur l'affleurement de rocher qui constituait son lieu de repos habituel. Il jeta un rapide coup d'œil à sa montre. Il lui avait fallu onze minutes et quatorze secondes pour effectuer cette portion du parcours : onze secondes de gagnées sur son temps de la veille. Cette pensée l'emplit d'une satisfaction qui s'effaça rapidement. Il resta assis sur le rocher, garçon élancé dont les cheveux noirs humides retombaient sur le front, à se masser les jambes à travers le coton de son pantalon de survêtement. Le souvenir des Navajos qui avaient ri lui avait fait penser à George Bowlegs. Il aborda ces pensées avec précaution, soucieux de ne pas se laisser aller à la colère. Il ne fallait jamais s'y laisser aller, et maintenant, c'était absolument tabou. Le Koyemshi était apparu au village deux jours plus tôt, annonçant sur chacune des quatre plazas * de Zuñi que dans huit jours les Shalako arriveraient de l'Endroit-où-Dansent-les-Morts pour rendre visite à leur peuple et le bénir. Ce n'était absolument pas le moment de se laisser aller à des pensées empreintes de colère. Bowlegs était son ami, mais Bowlegs était fou. Et il aurait eu de bonnes raisons d'être en colère contre lui si l'époque de l'année ne l'interdisait pas. George avait posé trop de questions et, puisqu'il était un ami, il lui avait donné plus de réponses qu'il n'aurait dû le faire. Quel que soit son désir de devenir Zuñi, de rejoindre le Clan du Blaireau, celui-là même du Dieu du Feu, George n'en était pas moins un Navajo. Il n'avait pas été initié, n'avait pas connu le moment où l'ombre du masque vous domine, ni vu à travers les yeux de l'esprit kachina. Et c'était pour ça qu'il y avait des tas de choses que George n'était pas autorisé à savoir et, pensa sans joie le Dieu du Feu, il avait peut-être révélé à George certaines de ces choses. Le Père Ingles ne le pensait pas, mais le Père Ingles était un homme blanc.

Derrière lui, au-dessus de la paroi en grès rouge de la mesa, un ciel de cirrus floconneux s'étendait vers le sud, dans la direction du Mexique. A l'ouest, au-dessus du Désert Peint, les dernières lueurs du soleil couchant le teintaient de rouge. Au nord, le reflet de cette lumière colorait les falaises des Zuñi Buttes d'un rose délicat. Loin en contrebas, dans les ombres de la mesa, une lumière s'alluma dans le camping-car à côté du chantier de fouilles de l'anthropologue. Ted Isaacs qui se prépare à manger, pensa le Dieu du Feu. Et c'était une autre chose à laquelle il ne fallait pas penser pour éviter de se mettre en colère contre George. Ça avait été une idée de George de voir s'ils pouvaient trouver des objets fabriqués par les Anciens dans la boîte où le Docteur rangeait ses éclats de pierre, ses perles et

13

ses pointes de flèches. George avait dit qu'il voulait s'en servir pour se fabriquer un fétiche pour la chasse. Peut-être en ferait-il un pour chacun d'eux. Mais cela avait rendu le Docteur furieux, et maintenant Isaacs ne laisserait plus personne venir le regarder travailler. Quel fou, ce George !

Le Dieu du Feu se frotta les jambes, ressentant une contraction des muscles de ses cuisses à mesure que l'air séchait sa sueur. Encore dix-sept secondes et il reprendrait sa course, couvrirait les derniers quinze cents mètres en suivant la pente de la mesa jusqu'à l'endroit où George l'attendrait avec sa bicyclette. Puis il rentrerait chez lui et terminerait ses devoirs.

Il se remit à courir, trottinant d'abord à petites foulées, puis plus vite lorsque la raideur eut disparu. A nouveau la sueur mouilla le dos de son survêtement, assombrissant l'inscription au pochoir qui disait « Propriété de l'Alliance des Ecoles de Zuñi ». Il courait sous le ciel rouge de colère, dans l'ombre de plus en plus dense, pensant à ce fou de George, son ami le plus ancien et le meilleur. Il pensa à George ramassant des boutons de cactus pour le drogué de la communauté hippie et les mangeant lui-même pour obtenir une vision ; à George allant voir le vieil homme à la limite de Zuñi pour apprendre comment devenir sorcier, et à la colère qui s'était emparée du vieil homme ; à George voulant cesser d'être un Navajo pour pouvoir devenir Zuñi. George était sûrement fou mais George était son ami, et sa bicyclette était là, et George devait l'attendre quelque part.

La silhouette qui sortit de derrière les blocs erratiques dans l'obscurité teintée de rouge n'était pas celle de George. C'était un Salamobia dont les yeux ronds cerclés de jaune étaient fixés sur lui. Le Dieu du Feu s'arrêta, ouvrit la bouche et ne trouva rien à dire. C'était le Salamobia de la kiva de la taupe, au masque peint de la couleur des ténèbres. Et pourtant ce n'était pas lui. Le Dieu du Feu regardait fixement cette silhouette, ce corps musclé sous la chemise noire, la collerette de plumes de dindon hérissées qui lui entourait le cou, les yeux noirs et vides, le bec menaçant, le crête garnie de plumes. Le noir était la couleur du Salamobia de la Taupe, mais ce masque-là n'était pas le vrai. Il connaissait bien le vrai masque...

Le Dieu du Feu vit alors que le bâton qui se levait dans la main de ce Salamobia n'était pas fait de yucca tressé. Il étincelait dans la lumière rouge du crépuscule. Et il se souvint que les Salamobia, comme tous les autres esprits des anciens qui habitent les masques zuñi, n'étaient visibles que pour les membres de la Fraternité des Sorciers et pour ceux qui allaient mourir.

2

Lundi 1er décembre,
12 h 20.

Le lieutenant Joe Leaphorn regardait la mouche. Il aurait dû être en train d'écouter Ed Pasquaanti qui, perché sur un fauteuil pivotant derrière son bureau indiquant « Chef de la Police, Zuñi », parlait sans s'arrêter d'une voix rapide et précise. Mais Pasquaanti exposait l'aspect juridique du problème et Leaphorn avait déjà compris non seulement ce problème mais également la raison pour laquelle Pasquaanti en parlait. Pasquaanti voulait s'assurer que Leaphorn, Cirpiano (« Orange ») Naranjo, le Shérif Adjoint du Comté McKinley, et J.D. Highsmith, membre de la Police de l'Etat, comprenaient bien que, sur le territoire de la Réserve Zuñi, la police de Zuñi dirigeait l'enquête. Et cela convenait tout à fait à Leaphorn. Plus vite il sortirait d'ici et plus il serait content. La mouche avait détourné son attention une ou deux minutes auparavant en se posant sur son calepin. Maintenant, avec la léthargie commune à tous les insectes que l'hiver condamne, elle s'approchait de son doigt en suivant la marge. Est-ce qu'une mouche zuñi daignerait avancer sur une peau navajo ? Leaphorn regretta immédiatement cette pensée. Elle le ramenait à l'hostilité illogique contre laquelle il avait lutté toute la matinée : depuis qu'on lui avait remis, à la maison chapitrale de Ramah, le message qui l'avait amené jusqu'ici.

Tout à fait représentatif des messages radio que Leaphorn recevait de Shiprock, celui-ci en disait un petit peu trop peu. Leaphorn devait se rendre à Zuñi sans délai pour aider à retrouver George Bowlegs, quatorze ans, un Navajo. Des détails supplémentaires lui seraient communiqués par la police de Zuñi avec laquelle il avait l'ordre de coopérer.

Le radiotélégraphiste du centre de télécommunications de Ramah le lui avait donné avec un large sourire.

– Avant que vous ne me le demandiez, avait-il dit, oui, c'est tout ce qu'ils ont dit. Et non, je ne sais absolument pas de quoi il s'agit.

– Ah, merde, avait dit Leaphorn.

Il savait ce qui allait se passer. Cinquante kilomètres pour se rendre à Zuñi et découvrir que le gosse avait volé quelque chose avant de disparaître. Mais les Zuñis ne sauraient absolument rien de ce garçon. Alors il faudrait qu'il se retape les cinquante kilomètres pour revenir à la Réserve de Ramah et découvrir dans quel sens il devrait orienter ses recherches. Et ensuite...

– Vous savez quelque chose sur ce George Bowlegs ? avait-il demandé.

Le radio en savait à peu près autant que Leaphorn s'y attendait. Il n'en était pas certain, mais peut-être que ce garçon était le fils d'un type qui s'appelait Shorty Bowlegs. Shorty était parti de la Réserve Principale à la suite d'ennuis avec une femme qu'il avait épousée du côté de Coyote Canyon. Ce Shorty Bowlegs appartenait au clan * de la Maison Haute, et était l'un des fils de Grand Mère Running. Et un jour, après son retour de Coyote Canyon, il avait déposé une demande auprès du comité local de la répartition des terres pâturables pour qu'il lui en soit alloué une. Mais à ce moment-là il était parti ailleurs. Et de toute façon, ce n'était peut-être même pas lui.

– Bon, d'accord, avait dit Leaphorn. Si on me demande, je suis au poste de police de Zuñi.

– Ne faites pas cette tête-là, lui avait dit le radio qui souriait toujours. Je ne pense pas que les Zuñis aient initié quelqu'un dans la Prêtrise de l'Arc ces derniers temps.

Cela avait fait rire Leaphorn. Autrefois, du moins à ce que croyaient les Navajos, les initiés qui allaient devenir prêtres * de l'Arc chez les Zuñis devaient ramener un scalp de Navajo. Il avait ri, mais était resté d'humeur sombre. Il avait parcouru la route NM 43 menant à Zuñi un peu plus vite qu'il ne l'aurait dû, contrarié par sa mauvaise humeur parce qu'il ne parvenait pas à lui trouver d'explication logique. Pourquoi cette mission lui déplaisait-elle autant ? Le travail qui l'avait amené à Ramah était suffisamment pénible pour que toute interruption soit la bienvenue. Un vieux Chanteur * s'était plaint qu'il avait confié huit cents dollars à une voisine se rendant à Gallup, afin qu'elle effectue un versement sur un camion, et que cette femme avait dépensé son argent. Certains faits avaient été faciles à établir. Le jour en question, la femme avait récupéré pour presque huit cents dollars d'objets qu'elle avait gagés dans une boutique de Gallup, et elle n'avait pas donné d'argent au propriétaire du véhicule. Les choses auraient donc dû être simples, mais ce n'était pas le cas. La femme disait que le Chanteur lui devait cet argent et que c'était un sorcier *, un Loup Navajo *. Et puis il y avait la question de savoir de quel côté de la ligne frontière ils se trouvaient quand l'argent avait changé de mains. Si c'était là où elle le disait, ils se trouvaient sur le territoire de la réserve Navajo et sous la juridiction fédérale de la tribu. Mais s'ils étaient là où le Chanteur le prétendait, ils se trouvaient de l'autre côté, sur des terres à allouer n'appartenant pas à la réserve, et l'affaire viendrait probablement devant le tribunal, tombant sous le coup de la loi du Nouveau Mexique relative aux détournements de fonds. Leaphorn ne parvenait pas à trouver un moyen de résoudre ce problème et, en temps ordinaire, il aurait accueilli avec plaisir l'occasion d'y échapper même temporairement. Mais en fait, cela lui déplaisait de traquer l'un de ses frères navajo sur l'ordre des Zuñis.

Pasquaanti n'en finissait pas de discourir. La mouche avança prudemment d'un pas vers les phalanges brunes et robustes de Leaphorn puis s'arrêta. Leaphorn comprit soudain le pourquoi de son humeur. C'était parce qu'il sentait que les Zuñis * se considéraient comme supérieurs aux Navajos *. Et il le sentait parce que lui, Joe Leaphorn, avait autrefois (il y avait très longtemps de cela), pendant sa première année à l'Université de l'Etat d'Arizona, partagé sa chambre avec un Zuñi vis-à-vis duquel il avait fait un stupide complexe d'infériorité. Par conséquent son humeur présente n'était absolument pas logique ; l'illogisme déplaisait à Leaphorn quand il se manifestait chez les autres mais quand il se manifestait chez lui il le détestait. La mouche contourna son doigt et disparut, sous le calepin la tête en bas. Pasquaanti s'arrêta de parler.

— Je ne pense pas qu'il y ait un problème de juridiction, dit Leaphorn d'un ton impatient. Alors pourquoi ne nous donnez-vous pas les renseignements sur l'affaire qui nous occupe ?

Il aurait été plus poli de laisser Pasquaanti mener les choses à son propre rythme. Leaphorn le savait, et il vit sur le visage de Pasquaanti que le Zuñi savait qu'il le savait.

— Voici ce que nous savons jusqu'ici, dit Pasquaanti en faisant glisser une photocopie vers

19

chacun d'eux. Deux garçons disparus et neuf chances sur dix que l'un des deux ait été tué.

Deux garçons ? Leaphorn parcourut rapidement la feuille puis, soudain intéressé, relut chaque phrase avec attention. Deux garçons disparus. Bowlegs et un Zuñi appelé Ernesto Cata, plus la bicyclette du jeune Cata, et une « grande » quantité de sang imprégnant la terre là où la bicyclette avait été posée.

– D'après ceci, ils sont dans la même école, dit Leaphorn. Mais Bowlegs a quatorze ans et Cata en a douze d'après cette feuille. Est-ce qu'ils étaient dans la même classe ?

Leaphorn regretta aussitôt d'avoir posé cette question. Pasquaanti allait se borner à leur rappeler à tous que Bowlegs était Navajo, expliquant ainsi cette différence dans leur réussite scolaire.

– Tous les deux en cinquième, dit Pasquaanti. Le jeune Cata aurait eu treize ans dans un jour ou deux. Ils étaient très bons amis depuis deux, trois ans. De vrais amis. Tout le monde le dit.

– Pas trouvé d'arme ? demanda Naranjo.

– Rien, répondit Pasquaanti. Seulement le sang. L'arme peut être n'importe quel objet susceptible de vider quelqu'un de son sang. Je n'avais jamais vu autant de sang. Mais je parierais que ce n'est pas une arme à feu. Personne ne se souvient avoir entendu un bruit de coup de feu et ça s'est passé assez près du village, si bien que quelqu'un l'aurait obligatoirement entendu.

Pasquaanti marqua une pause.

– Je parierais que c'est un objet tranchant. Il y avait du sang sur les épines des pins tout autour, en plus de tout ce qui avait imprégné la terre, par conséquent une artère importante a sans doute été sectionnée alors qu'il se tenait là. En tous cas, celui qui a fait ça a dû emporter l'arme avec lui.

– Celui qui a fait ça ? reprit Leaphorn. Vous n'êtes donc pas absolument sûr que ce soit Bowlegs ?

Pasquaanti le regarda, étudiant son visage.

– Nous ne sommes sûrs de rien, dit-il. Tout ce que nous savons est écrit là-dessus. Le jeune Cata n'est pas rentré chez lui hier soir. Ils se sont mis à sa recherche dès qu'il a fait jour et ils ont trouvé le sang là où sa bicyclette avait été posée. Le jeune Bowlegs avait emprunté le vélo et il était supposé le rapporter là, à cet endroit qui était leur lieu de rendez-vous. O.K. ? Alors voilà le jeune Bowlegs qui ,arrive à l'école ce matin, mais quand nous apprenons l'histoire du vélo emprunté et que nous envoyons quelqu'un là-bas pour lui parler, il n'y est plus. En fait il s'est levé pendant le cours d'instruction civique et a dit à son professeur qu'il ne se sentait pas bien ou quelque chose d'approchant, et il a disparu.

– Si c'était lui l'auteur du meurtre, dit Naranjo, on s'attendrait à ce qu'il ait pris la fuite tout de suite après.

– Bien sûr, nous ne savons pas encore s'il y a effectivement eu meurtre, reprit Pasquaanti. Il pourrait s'agir du sang d'un animal. On en tue beaucoup en ce moment. Les gens s'organisent pour tout ce qu'il faudra préparer pour Shalako *.

– A moins peut-être que Bowlegs n'ait été suffisamment intelligent pour se dire que personne ne le soupçonnerait s'il ne s'enfuyait pas, dit Naranjo. Dans ce cas, il serait venu à l'école et puis

21

il aurait été pris de panique et il se serait enfui quand même.

– Je ne crois pas que cela apparaisse dans ce rapport, mais les élèves disent que Bowlegs cherchait Cata quand il est arrivé à l'école, qu'il demandait où il était etc., dit Pasquaanti.

– Ça faisait peut-être partie de son plan, suggéra Leaphorn qui était heureux de se rendre compte qu'il recommençait à réfléchir comme un policier.

– C'est possible, dit Pasquaanti. Mais n'oubliez pas qu'il n'a que quatorze ans.

Leaphorn tapota du doigt la feuille de papier.

– Il est écrit ici que Cata était parti courir. De quoi s'agissait-il ? D'athlétisme, ou d'autre chose ?

Le silence dura peut-être trois secondes : suffisamment longtemps pour que Leaphorn sache qu'il ne s'agissait pas d'athlétisme. Ça devait avoir un rapport avec la religion * Zuñi. Avant d'ouvrir la bouche Pasquaanti prenait le temps de décider de ce qu'il voulait qu'ils sachent exactement.

– Le jeune Cata avait été choisi pour tenir un rôle actif dans les cérémonies religieuses de cette année, dit-il. Certaines de ces cérémonies durent des heures, les danses sont épuisantes et il faut être en bonne condition physique. Il courait tous les matins pour se maintenir en bonne forme.

Leophorn se souvint des cérémonies de Shalako auxquelles il avait assisté il y avait bien longtemps, à l'époque où, étudiant de première année, il avait partagé sa chambre avec un Zuñi.

– Est-ce que Cata était celui que l'on appelle le Dieu du Feu ? demanda-t-il. Celui qui est peint en noir, qui porte le masque tacheté et qui tient la torche ?

22

– Ouais, dit Pasquaanti. Cata était Shulawitsi.

Il avait l'air mal à l'aise.

– De toutes façons, ajouta-t-il, je ne vois pas quel rapport ça aurait avec ça.

Leaphorn réfléchit. Probablement aucun, décida-t-il. Il regretta de ne pas en savoir davantage sur la religion Zuñi. Mais en fait ce n'était pas son problème. Son problème était de trouver George Bowlegs.

Pasquaanti farfouillait dans un dossier.

– La seule photo des garçons que nous ayons pour l'instant est celle de la plaquette annuelle de l'école.

Il tendit à chacun d'eux une feuille pleine de photos où deux des visages avaient été entourés à l'encre rouge.

– Si nous ne les retrouvons pas rapidement, nous demanderons au photographe de nous effectuer quelques agrandissements à partir des négatifs, dit-il. Nous ferons parvenir des tirages de ces photos au bureau du shérif et à la police de l'état, ainsi qu'à la police de l'état d'Arizona. Et si nous trouvons quelque chose nous vous tiendrons au courant tout de suite pour ne pas que vous perdiez votre temps.

Pasquaanti se leva.

– Je vais demander au lieutenant Leaphorn de, disons, concentrer ses recherches pour essayer de découvrir où George Bowlegs est parti. Nous travaillerons à essayer de trouver Ernesto et la bicyclette, ainsi que tout ce que nous pourrons trouver d'autre.

Leaphorn s'aperçut que Pasquaanti, une fois son pouvoir juridictionnel clairement établi, ne donnait pas de conseil sur la façon de trouver Bowlegs. Il présumait que Naranjo, Highsmith et Leaphorn connaissaient leur travail et savaient comment s'y prendre.

– J'ai besoin de savoir où Bowlegs habitait et si quelqu'un y est allé pour voir s'il est rentré chez lui.

– C'est à environ six kilomètres de l'endroit où se trouve le hogan * de Shorty Bowlegs que ça s'est passé, et il va falloir que je vous fasse un petit croquis, dit Pasquaanti. Nous y sommes allés mais nous n'avons rien appris.

Le visage de Leaphorn posa sa question à sa place.

Pasquaanti eut l'air légèrement embarrassé.

– Shorty était là, dit-il. Mais il avait trop bu pour pouvoir nous répondre.

– Je vois, dit Leaphorn. Avez-vous découvert des traces autour de l'endroit où vous avez trouvé le sang ?

– Beaucoup de traces de bicyclette. Cela faisait des mois qu'il se rendait à cet endroit qui était le point de départ de son circuit. Et puis quelqu'un chaussé de mocassins, ou en tous cas de chaussures sans talons, est venu tout près de là. On dirait qu'il a attendu un bon moment. Il a trouvé un endroit où s'asseoir sous le pin qui pousse là. Il a écrasé des herbes. Et on a trouvé les traces des chaussures à pointes d'Ernesto. Il y a surtout du rocher par là. Il est difficile d'y découvrir quelque chose.

Leaphorn était en train de se dire qu'il irait peut-être jeter un coup d'œil lui-même, qu'il saurait trouver des traces qu'un Zuñi ne pouvait voir. Pasquaanti le regardait, soupçonnant ce genre de pensées.

24

– Vous n'avez rien trouvé de très concluant, alors ? demanda Leaphorn.

– Seulement qu'il y avait beaucoup de sang dans le corps de notre petit Ernesto Cata, répondit Pasquaanti.

Il sourit à Leaphorn, mais c'était un sourire sans joie.

3

Lundi 1er décembre,
15 h 30.

Le pneu éclata à mi-parcours sur le chemin qui le ramenait de chez Shorty Bowlegs, renforçant Leaphorn dans sa croyance que les journées qui commencent mal ont tendance à finir mal. La route serpentait à travers la région sauvage qui se trouve derrière Corn Mountain * : rien de plus qu'un chemin de terre rarement emprunté. On pouvait le suivre parmi les herbes et la végétation de l'été à condition de faire attention. Leaphorn n'avait pas fait attention. Il s'était concentré sur le peu que Bowlegs lui avait dit, essayant d'en tirer quelque chose, et non sur la route. Et sa roue avant gauche avait plongé brutalement dans un nid-de-poule dissimulé par les herbes, ce qui avait déchiré le pneu.

Il glissa le cric sous le pare-choc avant. Bowlegs avait trop bu pour pouvoir tenir des propos cohérents. Mais apparemment il avait vu George le matin même lorsque le garçon, accompagné de son jeune frère, avait entamé le long chemin qui leur permettait d'attraper le bus de ramassage scolaire. Le vieux Bowlegs ne semblait pas avoir la moindre idée de l'heure à laquelle George était revenu au hogan dans la nuit de dimanche. Ce qui voulait dire ou bien que c'était après que Shorty se fut endormi, ou alors que Shorty avait été trop ivre pour s'en rendre compte. Leaphorn s'activait sur le cric hydraulique ; il était irrité et se lamentait quelque peu sur son propre sort. A cette heure-ci, Highsmith devait être en train de rouler tranquillement sur l'autoroute 40, ayant communiqué les signalements de George Bowlegs et d'Ernesto Cata auprès des services qui allaient faire en sorte que les policiers des voitures de patrouille regardent d'un œil soupçonneux tout jeune auto-stoppeur Indien. Et Orange Naranjo devait être de retour à Gallup et en aurait également terminé une fois que son rapport aurait été expédié en lieux opportuns. Pasquaanti devait avoir abandonné sa recherche d'empreintes et n'avait plus maintenant qu'à attendre. Il n'y avait sûrement pas grand chose d'autre à faire à Zuñi. En moins d'une heure s'était sûrement répandue, dans toutes les maisons de pierre rouge du village semblable à une ruche et d'un bout à l'autre de la réserve, l'information selon laquelle l'un des fils de Zuñi avait disparu et était probablement mort, et que le garçon navajo qui était toujours avec lui était recherché par la police. Si un Zuñi voyait George

Bowlegs quelque part, Pasquaanti ne tarderait pas à l'apprendre.

Le cric glissa sur le bord du trou. Leaphorn jura de bon cœur et avec éloquence, retira le cric et entreprit laborieusement de creuser avec la poignée du cric une base plus stable dans le sol rocailleux. D'avoir proféré des blasphèmes l'avait un peu soulagé. Après tout, ce que faisaient le sergent, le shérif-adjoint et le flic Zuñi, était ni plus ni moins ce qu'il était logique qu'ils fassent. Si Bowlegs prenait la direction d'Albuquerque, de Phœnix ou de Gallup, ou s'il se cachait quelque part en territoire Zuñi, il serait presque à coup sûr arrêté rapidement et efficacement. S'il se terrait quelque part en pays navajo, ce serait le problème de Leaphorn... et ce n'était la faute de personne si ce problème-là était autrement plus difficile, s'il ne pouvait être résolu qu'au prix d'un labeur dur et opiniâtre. Leaphorn ré-installa le cric, remit la poignée en place, étira ses muscles gagnés par les crampes et regarda au bout du chemin de terre le paysage de mesas boisées entrecoupé de canyons qui s'étendait au sud jusqu'à l'horizon. Il vit la beauté, les ombres dessinées par les nuages, le rouge des falaises, et partout le bleu, l'or et le gris de l'automne dans les régions sèches. Mais bientôt le vent du nord emporterait les toutes dernières feuilles, et en une seule nuit froide ce paysage deviendrait d'un blanc uniforme. Et alors, s'il se cachait quelque part par là, la situation deviendrait très grave pour George Bowlegs. Il survivrait facilement jusqu'à la venue de la neige. Il y avait des baies desséchées, des racines comestibles et des lapins, et un garçon navajo savait où les trouver. Mais un jour c'en serait fini du soleil qui sans fin brillait sur les montagnes à l'automne. Une tempête glaciale venue de l'ouest du Canada prendrait de l'ampleur, déferlerait sur le versant ouest des Rocheuses. Ici, l'altitude était pratiquement de seize cents mètres au-dessus du niveau de la mer et il y avait déjà de fortes gelées le matin. Avec la venue de la première tempête, les températures matinales descendraient au-dessous de moins quinze degrés. Il n'y aurait aucun moyen de trouver de la nourriture avec la neige qui tomberait. Le premier jour, George Bowlegs aurait faim. Puis il s'affaiblirait. Et enfin il mourrait de froid.

Leaphorn fit une grimace et reporta son attention sur le cric. Ce fut alors qu'il vit le garçon qui se tenait timidement à moins de quinze mètres de lui, attendant qu'il le remarque. Il le reconnut instantanément grâce à la photo de la plaquette de l'école. Même front arrondi, mêmes yeux vifs très écartés, même bouche large. Leaphorn se mit à faire fonctionner le cric hydraulique.

– Ya-ta-hey, dit-il.

– Ya-ta-hey, oncle *, lui répondit le garçon. Il tenait à la main un livre couvert de papier de boucher.

– Tu veux m'aider à changer cette roue ? J'aurais bien besoin d'aide.

– D'accord, dit le garçon. Donnez-moi la clef du coffre et je vais aller chercher la roue de secours.

Leaphorn extirpa les clefs de sa poche, se rendant enfin compte que ce garçon était trop jeune pour être George Bowlegs. Ce devait être Cecil, son frère cadet.

Cecil apporta la roue de secours au moment où Leaphorn enlevait le dernier écrou de fixation.

Leaphorn réfléchissait. Il devait faire preuve de prudence.

– Vous êtes un policier *navajo*, dit le garçon. Au début j'ai cru que c'était la voiture de patrouille Zuñi.

– La voiture appartient au Dinee *, dit Leaphorn. Exactement comme toi et moi.

Leaphorn se tut un instant, regardant Cecil.

– Et exactement comme George, ton frère, ajouta-t-il.

Une lueur de surprise passa sur le visage du garçon, puis il redevint impassible.

– Nous faisons tous partie du Peuple *, dit Leaphorn.

Le garçon l'examina rapidement, en silence.

– Ce serait une bonne chose si George parlait à un policier Dinee, poursuivit Leaphorn. Il accentua le mót « Dinee » qui signifie « Le Peuple ».

– Vous le recherchez. La voix du garçon était accusatrice. Vous pensez comme les Zuñis qui ont dit à l'école... qu'il s'est enfui parce qu'il a tué cet Ernesto.

– Je ne sais même pas si le jeune Zuñi est mort. Tout ce que je sais pour le moment c'est ce que le policier Zuñi m'a dit, répondit Leaphorn. Je me demande ce que ton frère me dirait.

Cecil ne dit rien. Il étudiait les traits de Leaphorn.

– Je ne crois pas que George se soit enfui parce qu'il a tué le jeune Cata, reprit Leaphorn. S'il s'est enfui, peut-être que c'est parce qu'il avait peur que le policier Zuñi le mette en prison.

Leaphorn retira la roue avant gauche et positionna méticuleusement la roue de secours sur les boulons de fixation, sans regarder Cecil.

29

– Peut-être que ce n'était pas bête de faire ça. Et peut-être que ça l'était. S'il n'a pas tué le jeune Cata, alors c'était bête de s'enfuir. Ça a incité les Zuñis a penser que c'était peut-être lui qui l'avait fait. Mais s'il a tué le jeune Cata, peut-être que ce n'était pas si bête et peut-être que si. Parce qu'ils vont probablement le rattraper et alors ce sera encore pire pour lui. Et s'ils ne le rattrapent pas, il faudra qu'il continue à fuir pendant toute sa vie.

Leaphorn tendit la main vers la manivelle, regardant maintenant Cecil.

– Ça ne serait vraiment pas une vie. Il vaudrait mieux passer quelques années en prison et en être débarrassé. Ou peut-être passer quelque temps dans un hôpital. Si ce garçon est mort, et si c'est George qui l'a tué, c'est parce qu'il y a quelque chose qui ne tourne pas rond dans sa tête. Il a besoin d'être soigné. Les autorités le mettront dans un hôpital et non en prison.

Les secondes s'égrenaient en silence. Une bourrasque de vent souffla depuis le sommet de la colline, couchant l'herbe. Un vent froid.

Cecil passa sa langue sur ses lèvres.

– George ne s'est pas enfui parce qu'il avait peur de la police Zuñi, dit-il. Ce n'est pas pour ça.

– Pourquoi alors, neveu ? demanda Leaphorn.

– A cause du kachina *. Il a fui le kachina.

La voix du garçon était si basse que Leaphorn n'était pas sûr d'avoir bien entendu.

– Le kachina ? Quel kachina ?

C'était une sensation étrange, plus qu'un changement de sujet brutal ; plutôt comme un passage inattendu du réel à l'irréel. Leaphorn fixait Cecil. Le mot « kachina » avait trois sens. Il représentait les

30

esprits des anciens chez les Zuñis. Ou les masques portés pour personnifier ces esprits. Ou encore les petites poupées de bois que les Zuñis sculptaient pour les symboliser. Le garçon n'en dirait pas davantage. Cette histoire de kachina était quelque chose qui lui avait échappé... quelque chose qu'il avait dit pour éviter de raconter ce qu'il savait.

– Je ne sais pas son nom, finit par dire Cecil. C'est un mot Zuñi. Mais je suppose que c'est le même kachina qui a tué Ernesto.

– Oh, fit Leaphorn. Il éprouva la solidité du boulon de fixation, retira le cric, se donnant le temps de réfléchir. Il s'appuya de la hanche contre l'aile avant et regarda Cecil Bowlegs. Le sac chiffonné qui dépassait de la poche de la veste du garçon devait être le sac de son déjeuner : vide maintenant. Qu'est-ce que Cecil pouvait bien trouver dans ce hogan à emporter à l'école pour déjeuner ?

– C'est un kachina qui a tué Ernesto Cata ? Comment le sais-tu ?

Cecil avait l'air embarrassé.

Il mentait. C'était visible. Et aucun garçon de son âge n'y arrive bien. Leaphorn s'était rendu compte que de prêter l'oreille à des mensonges permettait parfois de découvrir la vérité.

– Pourquoi le kachina s'est est-il pris à Ernesto ? Tu connais la raison ?

Cecil se mordit la lèvre inférieure. Il regardait au-delà de Leaphorn en réfléchissant.

– Est-ce que tu sais pourquoi George fuit ce kachina ?

– Je crois que c'est pour la même raison.

– Tu ne connais pas cette raison, mais quelle

31

qu'elle soit, elle serait suffisante pour que le kachina s'en soit pris aux deux garçons ?

– Ouais, dit Cecil. Je crois que c'est ça qui se passe.

Leaphorn ne pensait plus que Cecil mentait. George avait dû lui raconter tout ça.

– Alors je suppose, d'après ce que tu m'as dit, qu'Ernesto et George ont dû faire quelque chose qui a rendu le kachina furieux ?

– C'est Ernesto qui l'a fait. George n'a fait que l'écouter. C'est de parler qui viole le tabou, et Ernesto a parlé. George n'a fait qu'écouter.

Le ton de Cecil était sérieux, comme s'il était très important pour lui que personne ne pense que son frère avait violé un tabou Zuñi.

– Il a parlé de quoi ?

– Je ne sais pas. George m'a dit qu'il pensait qu'il valait mieux qu'il ne le dise pas. Mais ça avait un rapport avec les kachinas.

Leaphorn s'écarta de l'aile et s'assit sur l'herbe sèche, ramenant ses jambes devant lui. Ce qu'il devait découvrir était relativement simple. Est-ce que George savait que le jeune Cata était mort lorsqu'il était parti à l'école ce matin avec Cecil ? S'il le savait, cela voulait presque obligatoirement dire que George avait tué Ernesto, qu'il avait assisté à sa mort, ou encore qu'il avait vu le meurtrier se débarrasser du corps. Mais si Leaphorn posait à Cecil une question directe, et si la réponse était négative, il savait qu'il lui faudrait ne pas tenir compte de cette réponse. Cecil était prêt à mentir pour protéger son frère. Leaphorn sortit ses cigarettes. Ce qu'il allait faire lui déplaisait. Mon travail consiste à trouver George, se dit-il. C'est important de le trouver.

– Cela t'arrive de fumer une cigarette ? demanda-t-il à Cecil, en lui tendant le paquet.

Cecil en prit une.

– De temps en temps ça fait du bien, dit-il.

– Ça ne fait jamais de bien. Ça abîme les poumons. Mais de temps en temps on en a besoin et c'est pour ça qu'on le fait.

Cecil s'assit sur un rocher, inspira profondément et laissa la fumée s'échapper par ses narines. Visiblement ce n'était pas sa première cigarette.

– Tu penses que Cata a violé un tabou, que le kachina l'a tué à cause de ça et qu'il en veut à George.

Leaphorn parlait de manière réfléchie. Il exhala un nuage de fumée qui flotta, bleu dans la lumière paisible du soleil.

– Est-ce que tu sais quand George est rentré hier soir ?

– Après que je me suis endormi, répondit Cecil. Il était là quand je me suis réveillé ce matin, il se préparait pour aller attraper le bus de l'école.

– Vous autres, vous aimez mieux l'école que moi, dit Leaphorn. Quand j'avais votre âge j'aurais dit à mon père qu'il n'allait probablement pas y avoir d'école ce jour-là parce que l'un des élèves avait été tué la veille. Peut-être qu'il m'aurait laissé rester à la maison. Ça aurait valu le coup d'essayer en tous cas.

Le ton était détaché, légèrement ironique, exactement ce qu'il fallait, se dit-il. Ça pouvait provoquer un aveu involontaire, et peut-être pas. Dans ce dernier cas, il recommencerait. Leaphorn était quelqu'un d'une patience considérable.

– Je ne le savais pas encore, dit Cecil. Pas avant d'arriver à l'école.

Son regard était fixé sur Leaphorn.

– Ils n'ont trouvé le sang que ce matin, précisa-t-il.

Son expression indiquait qu'il se demandait comment ce policier avait pu l'oublier, et puis il comprit que Leaphorn ne l'avait pas oublié. Le visage du garçon trahit une brève colère, puis simplement de la tristesse. Il détourna les yeux.

– Oh et puis merde, dit Leaphorn. Ecoute, Cecil. J'étais en train d'essayer de t'avoir. De t'amener à m'en dire plus que tu n'en as envie. Bon, allez, je laisse tomber. C'est ton frère. Réfléchis-y et ensuite dis-moi exactement ce que tu voudrais qu'un policier sache. Et n'oublie pas, ce ne sera pas qu'à moi que tu le diras. Je suis obligé de le répéter (tout au moins pour l'essentiel) à la police Zuñi. Alors fais bien attention de ne rien me dire qui puisse à ton avis nuire à ton frère.

– Qu'est-ce que vous voulez savoir ? Où est George ? Je n'en sais rien.

– Beaucoup de choses. Surtout, un moyen de trouver George parce que quand je pourrai lui parler il pourra nous apprendre tout ce que nous ignorons. Comme par exemple, est-ce qu'il a vu ce qui est arrivé à Cata ? Est-ce qu'il était là ? Est-ce que c'est lui qui l'a fait ? Est-ce que c'est quelqu'un d'autre qui l'a fait ? Mais je ne peux pas parler à George avant d'avoir découvert où il est parti. Tu m'as dit que ce matin il ne t'avait pas dit que quelque chose était arrivé à Cata. Mais il t'a donné l'impression qu'un kachina leur en voulait à tous les deux. Qu'est-ce qu'il t'a dit ?

– Ce n'était pas très clair, répondit Cecil. Il était nerveux. Je pense qu'il a emprunté la bicyclette d'Ernesto après l'école, qu'il l'a emportée là où Ernesto allait courir et qu'il l'a attendu là-bas.

Cecil s'arrêta, faisant un effort pour se souvenir.

– Il commençait à faire nuit, et je pense que c'est à ce moment-là qu'il a vu le kachina arriver. Alors il est parti en courant et il est rentré à la maison. Il ne m'a pas raconté ça exactement comme ça, mais je crois que c'est ça qui s'est passé. Quand nous sommes arrivés à l'école aujourd'hui, il voulait éclaircir cette histoire de kachina.

– Tu n'as pas revu George après être descendu du bus ?

– Non, il est parti chercher Ernesto.

– Si tu étais à ma place, de quel côté irais-tu pour essayer de le trouver ?

Cecil ne répondit pas. Il regarda ses pieds. Leaphorn remarqua que la semelle de sa chaussure gauche s'était séparée du dessus de la chaussure et qu'elle avait été réparée avec une espèce de colle grisâtre. Mais la colle n'avait pas tenu.

– D'accord, dit Leaphorn. Dans ce cas, est-ce qu'il a d'autres amis, là-bas à l'école ? Quelqu'un à qui je devrais aller parler ?

– Pas d'amis à l'école, dit Cecil. Ce sont des Zuñis.

Il jeta un coup d'œil à Leaphorn pour voir s'il comprenait.

– Ils n'aiment pas les Navajos, précisa-t-il. Ils n'arrêtent pas de raconter des histoires sur nous. Des histoires qui nous font passer pour des idiots.

– Seulement Ernesto ? Tout le monde dit que George et Ernesto étaient amis.

– Tout le monde dit que George est un peu fou, reprit Cecil. C'est parce qu'il veut...

Le garçon s'arrêta, chercha ses mots.

– Il veut faire des choses, vous savez. Il veut tout essayer. A un moment il voulait devenir sorcier, alors il s'est renseigné sur la sorcellerie Zuñi. Une fois il a mangé des boutons de cactus pour avoir une vision *. Et Ernesto trouvait que tout ça était drôle et à cause de lui George en faisait encore plus. Je ne crois pas qu'Ernesto était un ami. Pas un vrai ami.

Le visage de Cecil reflétait la colère.

– C'était un sale Zuñi, dit-il.

– Tu ne vois personne d'autre ? Personne qui pourrait savoir quelque chose ?

– Il y a ces hommes blancs qui creusent pour trouver des pointes de flèches. George y allait souvent pour regarder ce type creuser. Il y était tout le temps fourré cet été, et même après la rentrée. Avec ce Zuñi. Mais Ernesto a volé quelque chose, je crois, et on les a chassés.

Leaphorn avait remarqué le site anthropologique et en avait parlé à Pasquaanti. C'était à environ quinze cents mètres de l'endroit où le sang avait été découvert.

– Volé quoi ? Quand est-ce que ça s'est passé ?

– L'autre jour, répondit Cecil. Je pense qu'Ernesto a volé un de ces morceaux de silex qu'ils avaient déterrés. Je crois que c'est des pointes de flèches, des trucs comme ça.

Leaphorn s'apprêtait à lui demander quel intérêt ils avaient pu trouver à voler des silex taillés mais il retint sa question. Pourquoi les garçons volent-ils ?

Essentiellement pour voir s'ils peuvent le faire sans se faire prendre.

– Et il y a aussi ces Belacani qui habitent dans les vieux hogans, derrière Hoski Butte, poursuivit Cecil. George aimait bien la fille blonde, là-bas, et je crois qu'elle essayait de lui apprendre à jouer de la guitare.

– Des Blancs ? Qui sont ces Belacani ?

– Des hippies, dit Cecil. Ils sont plusieurs à vivre là-bas depuis pas mal de temps. Ils ont des moutons.

– Je vais aller les voir, dit Leaphorn. Personne d'autre ?

– Non, dit Cecil.

Il hésita.

– Vous revenez de chez nous, là. Mon père. Est-ce qu'il était...

La gêne l'emporta sur le besoin de savoir.

– Ouais, dit Leaphorn. Il avait bu pas mal. Mais je crois que ça va aller. Je crois qu'il dormira quand tu arriveras chez toi.

Puis il détourna les yeux du visage de Cecil sur lequel se lisaient la douleur et la honte.

4

Lundi 1er décembre,
16 h 18.

Ted Isaacs enfonça précautionneusement le fer de sa pelle dans la terre poussiéreuse. La pression que sa main ressentit lui apprit que la résistance à la pénétration du fer était un peu faible, qu'il était en train de creuser légèrement au-dessus de la couche riche en calcium dont il savait maintenant, avec une certitude absolue, qu'il s'agissait de la couche de Folsom. Il retira la pelle et la planta à nouveau, deux centimètres plus en profondeur, sa main lui communiquant alors la sensation particulière du métal s'enfonçant dans la strate voulue.

– Vingt, compta-t-il en ajoutant la terre au tas qui se trouvait déjà sur le crible du tamis.

Il appuya la pelle contre la brouette et commença à faire glisser la terre fine à travers la claie au moyen d'une vieille truelle. Il travaillait de façon régulière, rapide, ne s'arrêtant que pour lancer au loin des enchevêtrements de racines et des touffes d'herbe. En trois minutes il ne restait plus sur le crible qu'un assortiment de cailloux, de brindilles, de crottes de lapin séchées et un grand scorpion désorienté dont la queue terminée par le dard vibrait de colère. Isaacs souleva le scorpion de la claie avec un bout de bois et le jeta vers sa petite alouette. Celle-ci, une femelle, avait été son unique compagnon au cours de ces deux derniers jours, sautillant de-ci de-là sur le site des fouilles et se régalant de tels morceaux de choix. Isaacs essuya la sueur de son front avec sa manche puis procéda à un inventaire attentif des cailloux. C'était un grand jeune homme maigre. Maintenant que le soleil avait plongé derrière Corn Mountain il travaillait sans chapeau, la peau blanche du sommet de son front contrastant nettement avec la peau durcie et brûlée de son visage. Ses mains travaillaient vite, avec précision, ses doigts calleux et carrés éliminant la majorité des pierres d'un geste automatique, en rejetant d'autres après les avoir effleurées rapidement, s'arrêtant finalement sur un éclat pas plus grand qu'une rognure d'ongle. Cet éclat-là, Isaacs l'examina. La concentration lui faisait plisser les yeux. Il le mit dans sa bouche, le nettoya rapidement avec sa langue, cracha, puis l'examina à nouveau. C'était un éclat d'agate : le troisième qu'il trouvait de la matinée. Il extirpa une loupe de joaillier de la poche de sa chemise de toile. A travers la double lentille, l'éclat paraissait énorme et se détachait sur les sillons profonds de l'extrémité de son pouce. Sur l'un des bords, Isaacs découvrit la marque qu'il savait devoir y trouver, le point d'impact, la trace laissée cent siècles plus tôt lorsqu'un chasseur de Folsom l'avait séparé de l'outil qu'il était en train de fabriquer. Cette pensée déclencha un sentiment d'excitation chez Isaacs. Il en avait toujours été ainsi depuis sa toute première fouille, alors qu'il faisait partie d'une équipe composée d'étudiants : la sensation exaltante de faire un saut en arrière dans le temps.

Isaacs remit la loupe dans sa poche et en sortit une enveloppe. Il écrivit dessus « Case 4 nord, 7 ouest » d'une petite écriture claire, et y fit tomber l'écaille. Ce fut à ce moment-là qu'il remarqua la fourgonnette blanche qui se dirigeait vers lui en cahotant le long de la crête.

– Merde, grogna Isaacs.

Il suivit le véhicule des yeux en espérant qu'il allait passer son chemin. Mais non. Il continuait à se rapprocher inexorablement de lui, suivant en tressautant les traces que son propre camping-car avait laissées dans les herbes. Et il s'arrêta enfin courtoisement à une quinzaine de mètres en retrait de la zone sillonnée d'un réseau de ficelles blanches. La voiture s'arrêta progressivement, évitant de soulever le grand nuage de poussière que le Dr Reynolds, toujours pressé, soulevait immanquablement quand il venait jusqu'au site.

Sur la porte du véhicule il y avait un écusson rond dans lequel était représentée une tête de bison stylisée vue de profil, et l'homme qui était descendu de la voiture et qui marchait maintenant vers Isaacs portait le même écusson sur le haut de la manche de sa chemise kaki. Ses traits étaient ceux d'un Indien. Grand, cependant, pour un Zuñi, et donnant l'impression d'être maigre et décharné. Probablement un employé du Bureau des Affaires Indiennes, ce qui voulait dire qu'il pouvait être tout et n'importe quoi depuis l'Esquimau jusqu'à l'Iroquois. En tout cas, il s'arrêta à un petit mètre de la ficelle blanche indiquant le pourtour de la fouille.

– Que puis-je faire pour vous ? demanda Isaacs.

– Je désire seulement quelques renseignements, répondit l'Indien. Avez-vous un moment pour discuter ?

– Je peux le prendre, dit Isaacs. Venez donc.

L'Indien enjamba précautionneusement le réseau de ficelles, contournant les cases dont la surface du sol avait déjà été enlevée.

– Je m'appelle Leaphorn, dit-il. Je suis de la police navajo.

– Ted Isaacs.

Ils se serrèrent la main.

– Nous recherchons deux garçons, commença Leaphorn. Un Navajo de quatorze ans environ appelé George Bowlegs et un Zuñi de douze ans appelé Ernesto Cata. On m'a dit qu'ils venaient souvent par ici.

– Oui, dit Isaacs. Mais pas ces derniers jours. Je ne les ai pas vus depuis...

Il se tut, se remémorant la scène, les cris de colère et de rage de Reynolds, puis Cata s'éloignant du camion de celui-ci comme si le diable en personne le poursuivait. Un mélange d'amusement et de regret était associé à ce souvenir. Ça avait été drôle, mais les garçons lui manquaient, et Reynolds s'était montré suffisamment clair, avec cette manière directe qui le caractérisait : il ne pensait pas qu'Isaacs avait fait preuve de beaucoup de discernement en les laissant traîner dans le coin.

– ... pas depuis jeudi dernier. Ils venaient presque chaque jour après l'école, poursuivit Isaacs. Des fois ils restaient jusqu'à la nuit. Mais ces derniers jours....

– Une idée de la raison pour laquelle ils ne sont pas revenus ?

– Nous les avons chassés.

– Pourquoi ?

– Eh bien, dit Isaacs. C'est un site archéologique, ici. Pas l'endroit idéal pour que deux gamins viennent faire les imbéciles.

Leaphorn ne dit rien. Le silence s'appesantit. Le temps qui s'écoulait silencieusement rendait Isaacs nerveux mais l'Indien ne semblait pas en être conscient. Il attendait, les yeux noirs et patients, qu'Isaacs en dise plus.

– Reynolds les a surpris en train de faire des conneries dans son camion, avoua Isaacs qui en voulait à l'Indien de l'avoir forcé à le dire.

– Qu'est-ce qu'ils ont volé ?

41

– Volé ? Rien du tout. Pas que je sache. Ils n'ont rien pris. L'un d'eux traînait dans le camion de Reynolds qui lui a crié de foutre le camp de là et ils sont partis en courant.

– Rien n'avait disparu ?

– Non. Pourquoi les recherchez-vous ?

– Ils ont disparu, répondit Leaphorn.

A nouveau le silence et le visage pensif de l'Indien.

– Vous trouvez des objets préhistoriques ici, je suppose, reprit-il. Est-ce qu'ils ont pu s'enfuir en en emportant ?

Isaacs se mit à rire.

– Il aurait fallu qu'ils me passent sur le corps, dit-il. De plus, je m'en serais aperçu.

Rien que d'y penser le rendait nerveux. Il ressentait le besoin urgent de vérifier, de prendre l'enveloppe marquée « Case 17 nord, 23 ouest », de sentir la forme du fragment de pointe de sagaie entre ses doigts, de savoir qu'il était toujours là.

– Vous en êtes absolument sûr, alors ? Auraient-ils pu voler autre chose ?

– Reynolds a pensé qu'ils avaient peut-être volé quelque chose dans sa boîte à outils, il me semble, parce qu'il a vérifié. Mais il ne manquait rien.

– Et aucun objet préhistorique n'a disparu ? Pas même des éclats ?

– Impossible, répondit Isaacs. Je garde ce que je trouve ici, dans la poche de ma chemise.

Isaacs tapota les enveloppes.

– Et quand je débraye le soir, ajouta-t-il, j'enferme le tout dans le camping-car. Qu'est-ce qui vous fait croire qu'ils ont volé quelque chose ?

L'Indien ne sembla pas avoir entendu la question.

Il regardait du côté de Corn Mountain. Puis il haussa les épaules.

– On me l'a dit, concéda-t-il. Qu'est-ce que vous fouillez, ici ? Un site préhistorique ?

La question surprit Isaacs.

– Ouais, c'était un campement de chasseurs Folsom. Vous avez entendu parler de la civilisaton de Folsom ?

– Un peu, répondit Leaphorn. J'ai fait un peu d'anthropologie à l'Université d'Arizona. A l'époque, toutefois, on ne savait pas grand chose de Folsom. On ne savait pas d'où il était venu ni ce qui lui était arrivé.

– Il y a longtemps de ça ?

– Trop longtemps, dit Leaphorn. J'ai presque tout oublié.

– Vous avez entendu parler de Chester Reynolds ?

– Je crois que c'était l'auteur de l'un de mes manuels.

– C'était certainement *Les Cultures Paléo-Indiennes d'Amérique du Nord*. Il fait toujours autorité. Le fait est que Reynolds a reconstitué toute une série de cartes montrant à quoi ressemblait cette région à la fin de la dernière glaciation, à l'époque où il pleuvait tant. A partir de là il a établi le chemin des migrations animales à la fin du pléistocène. Vous savez. Où on pouvait trouver les mastodontes, les paresseux géants, les machairodontes et les bisons à cornes longues à cause des points d'eau et du climat quand le pays a commencé à devenir aride. Et à partir de là il a mis au point des méthodes pour déterminer les endroits où il y avait le plus de

43

chances que les chasseurs Folsom aient établi leurs campements. C'en était un ici.

Isaacs désigna d'un geste les ficelles qui quadrillaient la crête couverte d'herbe.

– La zone plate, là, en bas, c'était un lac à l'époque. L'homme de Folsom pouvait s'asseoir ici et voir tout ce qui s'approchait de l'eau : soit du lac, soit de la rivière Zuñi au nord.

Isaacs accepta l'une des cigarettes que lui tendait Leaphorn. Il s'assit sur le cadre du tamis, l'air à la fois enthousiaste et fatigué. Et il parla. Il parla comme parle un homme naturellement sociable lorsque, après des jours de silence forcé, il se trouve en présence d'une oreille attentive. Il raconta comment Reynolds avait trouvé ce site ainsi qu'une douzaine d'autres. Et comment Reynolds les avait confiés à des étudiants qui préparaient leur doctorat, tous choisis par lui, comment il avait obtenu des bourses pour financer les travaux. Il parla de la théorie de la modification de Reynolds qui résoudrait l'un des plus grands mystères de l'anthropologie américaine.

Leaphorn, que l'inexpliqué avait toujours fasciné, se souvint du mystère de l'Anthropologie 127. Des campements de chasse d'hommes de Folsom avaient été découverts dans tous les états du centre et du sud-ouest, leur occupation remontant en général entre douze mille et neuf mille ans. A cette époque, tout à fait à la fin de la dernière glaciation, ils semblaient avoir eu cet immense territoire pour eux seuls. Ils avaient suivi les troupeaux de bisons, vivant dans de petits campements où ils taillaient leurs pointes de sagaies, leurs couteaux, leurs grattoirs à peaux et autres outils fabriqués avec des

44

silex. Ces pointes de sagaies étaient leur signe distinctif. Elles avaient la forme d'une feuille, étaient petites, remarquablement fines, parcourues d'une rainure longitudinale comme les baïonnettes ; pointes et tranchants étaient façonnés suivant une technique particulière qui consistait à séparer de petites écailles par de multiples points d'impact. Fabriquer une pointe de ce type était difficile et prenait beaucoup de temps. D'autres peuples de l'Age de Pierre, avant et après Folsom, fabriquaient des lames plus grandes, plus grossières, faciles et rapides à débiter et nullement moins efficaces pour tuer. Mais l'homme de Folsom s'en était tenu, siècle après siècle, à sa conception magnifique mais difficile et avait légué une énigme à l'anthropologie. Ces pointes de sagaies avaient-elles une signification religieuse rituelle, leur forme constituant une offrande magique faite à l'esprit des animaux qui les nourrissaient de leur viande ? Quand les glaciers avaient cessé de fondre et que les grandes pluies s'étaient arrêtées, que la terre s'était asséchée et que les troupeaux d'animaux s'étaient raréfiés,et que la survie était devenue très problématique, les campements de l'homme de Folsom avaient disparu de la surface de la terre. Avait-il été pris au piège de ce trop long ritualisme qui avait retardé son adaptation à ce changement de conditions et entraîné ainsi son extinction ? En tout état de cause, il avait disparu. Il y avait eu une période au cours de laquelle les Grandes Plaines semblaient avoir été virtuellement désertées par l'homme, puis différentes cultures de chasseurs étaient apparues, des hommes qui tuaient avec des lames longues et lourdes et utilisaient différentes techniques pour tailler la pierre.

– Ouais, conclut Isaacs. C'est à peu près de cette façon que les livres présentent les choses. Mais grâce à Reynolds, il va falloir qu'ils les réécrivent, tous ces livres.

– Vous allez prouver que ça s'est passé autrement ?

– Ouais, répondit Isaacs. Vous pouvez en être sûr.

Il alluma une autre cigarette, aspirant nerveusement la fumée.

– Laissez-moi vous raconter ce que ces salopards ont fait. Il y a deux ans, quand Reynolds a commencé à travailler là-dessus, il a fait une communication sur sa théorie devant la convention d'anthropologie, et plusieurs de ces vieux salopards encroûtés de l'académie ont quitté la salle.

Isaacs émit un grognement méprisant.

– Ils se sont levés et ils ont tout simplement quitté la session de l'assemblée générale, dit-il en riant. Plus personne n'avait fait ça depuis que les anthropo-biologistes avaient quitté la salle à la lecture de la communication annonçant la première découverte de Folsom, et cela remontait à 1931.

– Une insulte d'une extrême gravité, je suppose, remarqua Leaphorn.

– La pire. Je n'y étais pas mais on m'en a parlé. Il paraît que Reynolds aurait été capable de les tuer. Il n'a pas l'habitude qu'on le traite de la sorte et il n'est pas du genre à se laisser bousculer. Il paraît qu'il a dit à des amis qu'il ferait reconnaître le bien-fondé de ses théories par ces gens-là même si ça devait lui prendre le reste de sa vie.

– Quelle est la théorie de Reynolds ?

– En gros, l'homme de Folsom n'a pas disparu.

Il s'est adapté. Il s'est mis à tailler ses lames différemment, et certaines ont été attribuées à des civilisations totalement différentes. Et bon Dieu, nous allons le prouver ici-même.

L'exultation faisait vibrer sa voix.

Il sembla à Leaphorn qu'une telle preuve n'allait pas être facile à trouver.

– Est-il possible de parler à Reynolds ? Est-ce qu'il va revenir ?

– Il revient ce soir, répondit Isaacs. Venez jusqu'au camping-car. Vous pourrez l'y attendre et je vous montrerai ce que nous découvrons ici.

Le véhicule était garé parmi les genévriers : la partie habitable était une sorte de boîte en contreplaqué montée sur la plate-forme arrière d'une vieille camionnette Chevrolet. L'intérieur était équipé d'une étroite couchette, d'une table de travail recouverte de linoléum, d'un petit placard et d'une série de meubles de rangement métalliques sur l'un desquels était posé un réchaud à gaz portable. Isaacs ouvrit l'un des meubles, en sortit un plateau couvert d'enveloppes sales qu'il compta soigneusement et qu'il rangea toutes à l'exception d'une seule. Il désigna à Leaphorn l'unique tabouret et ouvrit l'enveloppe. Il en versa le contenu précautionneusement dans sa paume puis tendit la main vers Leaphorn. Quatre éclats de silex et un rectangle de pierre rose y reposaient. Ce dernier pouvait avoir sept à huit centimètres de long, deux et demi de large et un peu plus d'un centimètre d'épaisseur.

– C'est la partie postérieure d'une pointe de sagaie, expliqua Isaacs. A éclats parallèles, un type de lame que nous avons toujours attribué à une

47

civilisation plus récente que celle de l'homme de Folsom.

Il poussa légèrement la lame du bout du doigt.

– Vous pouvez remarquer qu'elle a été taillée dans du bois pétrifié : du bambou silicifié, pour être tout à fait exact. Et vous pouvez remarquer que ces éclats en sont aussi. Et maintenant, (il tapota du bout de l'ongle l'une des faces de la pierre), vous pouvez remarquer qu'elle n'est pas terminée. Il en était encore à polir ce côté-ci quand l'extrémité a cassé.

– Ce qui veut donc dire, conclut Leaphorn lentement, qu'il était en train de la fabriquer ici, dans ce campement de chasseurs Folsom, et non pas qu'il l'a laissée tomber en passant par ici. Mais ça n'empêche quand même pas qu'il ait pu la fabriquer deux mille ans après la disparition des hommes de Folsom.

– C'était dans la même strate, reprit Isaacs. C'est très intéressant, mais dans ce genre de terrain cela ne prouve rien. Mais voici qui est plus intéressant encore. Il n'y a pas du tout de bambou silicifié par ici. Le seul emplacement dont nous ayons connaissance se trouve dans le Galisteo Basin au sud de Santa Fé, à plus de trois cents kilomètres. Par ici, il y a quantité de silex utilisables : des schistes, des calcédoines et d'autres pierres assez solides à moins de huit cents mètres. Faciles à travailler mais pas très jolies. Les autres civilisations ont utilisé ce qu'elles avaient sous la main et n'en avaient rien à fiche de la beauté de l'objet. Folsom, lui, partait à la recherche d'une carrière de matériau pur aux couleurs étranges et en transportait partout où il allait pour fabriquer ses lames.

Isaacs sortit une autre enveloppe du meuble de rangement.

– Autre chose, dit-il.

Il vida une douzaine d'éclats de pierre rose dans la paume de sa main qu'il tendit vers Leaphorn.

– Ce sont des écailles typiques. Des débris incontestables provenant d'un travail de taille effectué dans un campement de Folsom. Et ils proviennent de la même pétrification silicifiée.

Leaphorn leva les sourcils.

– Ouais, souligna Isaacs. Ça commence à faire une drôle de coïncidence, non ? Que deux groupes de chasseurs différents, à deux mille ans d'intervalle, aient puisé dans la même carrière et porté leur matériau sur trois cents kilomètres pour venir le travailler ici.

– Je crois que c'est ce que vous pourriez appeler de très belles présomptions de preuves, dit Leaphorn.

– Et nous allons en trouver suffisamment pour qu'ils soient obligés de les accepter, reprit Isaacs. Je suis sûr que c'est ce qui s'est passé ici. La date concorde. Notre géologue nous affirme que les couches riches en calcium n'ont été formées qu'il y a environ neuf mille ans. Il s'agit donc d'hommes de Folsom très, très proches de nous.

Les yeux d'Isaacs contemplaient une scène bien éloignée dans le temps.

– Ils n'étaient plus très nombreux. Ils mouraient de faim. Les glaciers avaient disparu depuis longtemps, les pluies avaient cessé et les hordes de bêtes diminuaient rapidement. Il faisait de plus en plus chaud, le désert gagnait du terrain et la civilisation qui était la leur depuis trois mille ans

49

n'était pas adaptée. Il fallait qu'ils fassent une bonne chasse tous les quatre ou cinq jours au moins. Sinon, ils devenaient trop faibles pour chasser et mouraient. Ils n'avaient absolument plus le temps de fabriquer leurs jolies lames qui se brisaient si facilement.

Isaacs regarda Leaphorn.

– Vous voulez du café ? lui demanda-t-il.

– Volontiers.

Isaacs commença à préparer la cafetière. Leaphorn essayait de deviner son âge. Bientôt la trentaine, pensa-t-il. Pas davantage bien que son visage ressemblât parfois à celui d'un vieil homme ridé. Cela était dû en partie au soleil. Leaphorn avait remarqué très vite que Isaacs était gêné par ses dents. Elles avançaient légèrement, étaient visibles entre ses lèvres, et il attirait l'attention sur elles par suite d'une habitude inconsciente : il levait fréquemment sa main vers son visage afin de les dissimuler. Après avoir posé la cafetière sur le feu, Isaacs s'appuya contre le mur et regarda Leaphorn.

– On a toujours considéré qu'ils étaient morts faute de pouvoir s'adapter. C'est le dogme présenté dans les manuels. Mais c'est faux. C'étaient des êtres humains, ils étaient intelligents ; ils avaient l'intelligence qui permet d'apprécier la beauté, et l'intelligence qui permet de s'adapter.

Par la petite fenêtre au-dessus du réchaud Leaphorn voyait le crépuscule rougeoyant. Rouge comme le sang. Le sang sous le pin pignon était-il celui d'Ernesto Cata ? et dans ce cas, qu'était-il advenu de son corps ? Et où pouvait bien se trouver George Bowlegs sous ce ciel aux couleurs criardes ?

Mais de s'interroger là-dessus pour l'instant ne pouvait rien apporter.

– Pourtant, dit Leaphorn, je me demande si ce changement dans la fabrication des pointes de sagaies est d'une telle importance.

– Probablement pas en soi, reconnut Isaacs. Mais quand même. Je peux tailler une copie de pointe Folsom très hâtive en deux ou trois heures en moyenne. Elles sont si fines qu'on en casse beaucoup, ce qui arrivait aussi aux hommes de Folsom. Mais on peut tailler une grosse pointe à éclats parallèles en vingt minutes à peu près, et elle sera aussi réussie que celles que les hommes de l'Age de Pierre utilisaient.

Isaacs alla chercher dans un tiroir une boîte de sucre en morceaux et une tasse de bouteille thermos qu'il posa sur la table à côté de Leaphorn.

– Nous pensons qu'il a conçu cette pointe Folsom avec sa belle symétrie comme une sorte d'offrande rituelle dédiée à l'esprit de l'animal. Qu'il l'a fabriquée de façon à ce qu'elle soit la plus belle possible. Vous êtes Navajo. Vous comprenez ce que je veux dire.

– Oui, dit Leaphorn.

Le souvenir lui revint d'un matin neigeux sur le plateau Lukachukai : de son grand-père qui passait du pollen sacré sur le canon de son vieux 30-30 puis entonnait un chant ; de la voix claire du vieil homme qui s'adressait à l'esprit du cerf afin que la chasse à laquelle il allait se livrer pour avoir de la viande pour l'hiver soit bonne et juste et en totale harmonie avec les choses de la nature, conférant ainsi à l'acte à venir la beauté Navajo.

– Reynolds s'est dit, et il a eu raison, que si les

hommes de Folsom étaient prêts à modifier leurs pointes de sagaies, ils étaient également prêts à s'adapter dans tous les domaines. Avant, ils restaient assis dans leur campement toute la journée à fabriquer peut-être cinq ou six de ces pointes cannelées pour tuer un animal en en cassant peut-être dix ou douze. Ils ne pouvaient plus se le permettre.

– Ils ne pouvaient plus se permettre la beauté, dit Leaphorn en riant. J'ai été dans une école secondaire des Affaires Indiennes, et dans l'entrée il y avait une inscription qui disait : « La Tradition est l'Ennemie du Progrès », le message étant qu'il fallait abandonner les coutumes ancestrales ou mourir.

Il n'y avait aucune amertume dans sa voix mais Isaacs lui adressa un regard interrogateur.

– A propos, dit-il, avez-vous interrogé ces gens de la Toison de Jason au sujet des deux garçons ?

– La Toison de Jason ? Ce sont les hippies ?

– Ils y allaient assez souvent, poursuivit Isaacs. S'ils se sont enfuis de chez eux, il est possible qu'ils y soient. Il y a une jeune fille là-bas avec laquelle ils s'entendaient bien. Une gentille fille qui s'appelle Susanne. Les garçons l'aimaient bien.

– J'irai lui parler, dit Leaphorn.

– Le petit Bowlegs, c'est un drôle de gosse, reprit Isaacs. Très intéressé par tout ce qui est mystique. La magie, la sorcellerie, ce genre de choses. Une fois ça n'avait pas l'air d'aller, alors je lui ai demandé ce qui se passait et il m'a dit qu'il jeûnait pour que son totem lui parle. Je pense qu'il voulait avoir une vision. Et une fois ils m'ont demandé si je pouvais leur fournir du LSD et si j'en avais déjà pris.

– Et vous le pouviez ?

– Bon Dieu, non, répondit Isaacs. En tout cas, je ne leur en aurais pas donné. C'est dangereux ce truc-là. Autre chose, si ça peut vous être utile. (Isaacs se mit à rire). George étudiait pour devenir Zuñi.

Il rit à nouveau et secoua la tête.

– George est un peu fou.

– Vous voulez dire qu'il étudiait leur religion ?

– Il disait qu'Ernesto allait le faire initier dans le Clan du Blaireau.

– Est-ce que c'est possible ?

– Je n'en sais rien, répondit Isaacs. Ça m'étonnerait. C'est comme si un poisson disait qu'il veut devenir oiseau. La seule fois où j'ai jamais entendu parler de ce genre de chose remonte à la fin du dix-neuvième siècle quand la tribu a adopté un anthropologue appelé Frank Cushing *.

Au dehors, une voiture s'approchait trop vite, en seconde, sur le chemin cahoteux, faisant hurler son moteur.

– Reynolds ?

Isaacs se mit à rire.

– C'est sa façon de conduire à ce saligaud.

Reynolds n'était pas tel que Leaphorn se l'était représenté. En fait, il s'aperçut qu'il se l'était représenté comme une sorte de réincarnation du vieil homme voûté aux cheveux blancs qui avait enseigné l'anthropologie culturelle au groupe dont Leaphorn avait fait partie à l'Université d'Arizona. L'universitaire typique. Reynolds était de taille moyenne et dans la moyenne à tous égards. Il devait avoir cinquante ans, mais ce n'était pas facile à déterminer. Des cheveux bruns qui grisonnaient par endroits, un visage tout en rondeur, avenant, au

53

teint hâlé, de l'anthropologue qui travaille sur une fouille. Seuls ses yeux sortaient de l'ordinaire. C'étaient des yeux remarquables. Protégés au-dessus par des arcades sourcilières épaisses, et en dessous par des pommettes saillantes, ces yeux perçants, d'un bleu vif et brillant, vous fixaient du fond de leurs orbites sans ciller. Ils donnèrent l'impression à Leaphorn, pendant qu'ils échangeaient une brève poignée de main, que chacun des traits de son visage était photographié. Et un instant plus tard, ils étudiaient avec une intensité identique les éclats qu'Isaacs avait trouvés le jour même. Joe Leaphorn, policier navajo, avait été évalué et écarté.

– Dans quelles cases ? demanda Reynolds.

– Celles-là, dit Isaacs en plaçant trois doigts sur la carte.

– Erosion ancienne due au ravinement. Vous en avez repéré *in situ* ?

– Non, sur le crible du tamis.

– Vous avez remarqué qu'elles sont silicifiées ? Taillées dans le même matériau que les pointes à éclats parallèles ?

– Oui.

– Vous ne laissez rien au hasard, hein ?

– Jamais.

– Je le sais bien.

Reynolds gratifia Isaacs d'un regard qui incluait tendresse, chaleur et approbation. En une seconde il se changea en un sourire qui donna à son visage hâlé une expression de profonde affection, et ensuite, dans le même instant, de joie pure et sans mélange.

– Bon sang, dit-il. Bon sang, ça a vraiment l'air bien parti. Hein ?

54

– Très bien parti, je crois, renchérit Isaacs. Je crois que cette fois-ci c'est la bonne.

– Oui, dit Reynolds. Je le crois aussi.

Il regardait Isaacs fixement.

– Rien ne doit venir interférer dans cette fouille. Vous comprenez bien ça ? Elle doit être menée à bien exactement dans les règles.

Reynolds séparait les mots, les proférant l'un après l'autre.

Il devait avoir la haine tenace, pensa Leaphorn. Peut-être était-il un peu fou. Ou simplement génial.

Le regard de Reynolds englobait maintenant Leaphorn, les yeux bleus brillants fouillant dans sa mémoire.

– M. Isaacs est l'un des trois ou quatre meilleurs spécialistes des Etats-Unis, dit-il.

Le sourire apparut puis disparut automatiquement dans le visage hâlé et tendu.

– Le travail réalisé ici par M. Isaacs va obliger quelques personnages têtus à reconnaître la vérité.

– Je vous souhaite de réussir, dit Leaphorn.

Le visage d'Isaacs avait eu quelque chose dont Leaphorn ne l'aurait pas cru capable. Il avait revêtu une expression de plaisir et d'embarras mélangés, et avait réussi à rougir sous le hâle. Cela lui donnait l'air d'avoir dix ans.

– M. Leaphorn recherche deux garçons, dit-il. Il est venu me demander si je les avais vus.

– Est-ce que l'un des deux est ce petit Zuñi qui est venu faire l'idiot dans mon camion ? demanda Reynolds. Celui qui a pris ses jambes à son cou quand je me suis mis à crier ?

– C'est lui, reconnut Leaphorn. On m'avait dit qu'ils avaient volé quelque chose ici.

Les yeux brillants de Reynolds se portèrent instantanément sur Isaacs.

– Ont-ils volé quelque chose ?

– Non, répondit Isaacs. Je le lui ai dit. Il ne manque rien.

Reynolds fixait toujours Isaacs.

– Parce qu'il y en avait deux que vous laissiez traîner par ici ? Je n'en avais vu qu'un.

– Le Zuñi et un Navajo appelé George Bowlegs, précisa Leaphorn. Ils sont amis et ont tous les deux disparu. Vous ont-ils volé quelque chose, Dr Reynolds ?

– Ce petit Zuñi était venu fouiller dans mon camion. Mais il ne manquait rien. Je ne crois pas qu'il ait volé quoi que ce soit. Bien franchement, je l'ai fait déguerpir parce qu'il commençait à devenir évident que ce site allait être de toute première importance.

Reynolds tourna son regard vers Isaacs.

– Ce qui est sûr, ajouta-t-il, c'est que ce n'est pas l'endroit pour avoir des visiteurs non autorisés dans les jambes : surtout des enfants.

– Y avait-il dans votre camion quelque chose qu'ils auraient pu voler ? Quelque chose de précieux ?

Reynolds réfléchit. Un éclair d'impatience traversa son visage puis disparut.

– Est-ce que c'est important ? demanda-t-il.

– Ces garçons ont disparu. Nous pensons que l'un des deux a été blessé. Nous avons besoin de savoir pourquoi ils ont disparu. Cela pourrait nous aider à découvrir où ils sont.

– Alors allons regarder, dit Reynolds.

A l'extérieur, le ciel rouge se fondait dans les

ténèbres et les premières étoiles brillaient. Reynolds
alla chercher une torche dans la boîte à gants d'un
petit camion GMC de couleur verte. Il vérifia ce qui
restait à l'intérieur : un fatras de cartes routières,
d'outils de petite taille et de calepins.

– Ici, tout y est, dit-il.

Cela lui prit un peu plus longtemps pour vérifier
la boîte à outils soudée derrière la cabine. Reynolds
inspecta méthodiquement le désordre : tenaille,
pince coupante, pic de géologue, petite hache, pelle
pliable et une douzaine d'autres articles divers.

– Il manque un marteau, je pense. Non. Le
voilà.

Il referma la boîte.

– Tout y est.

– Le jour où vous avez chassé les garçons, y
avait-il des objets anciens dans le camion ?

– Des objets anciens ?

Reynolds était face au soleil couchant, ce qui
faisait paraître sa peau plus rouge. Ses yeux bleus
photographièrent à nouveau Leaphorn.

– Des pointes de flèches, de sagaies, des choses
de ce genre ? précisa le policier navajo.

Reynolds réfléchit à la question.

– Bon sang, oui. J'avais ma boîte avec moi. Mais
pourquoi auraient-ils volé un morceau de caillou ?

– On m'a dit que l'un des garçons avait volé une
pointe de flèche, insista Leaphorn. Est-ce qu'il
manquait quelque chose dans votre boîte ?

Le bruit qu'émit Reynolds était plus proche de
l'agacement que du rire.

– Pour ça, vous pouvez être sûr que non. Il y
avait dans cette boîte des objets provenant des huit
sites que je supervise. Rien de très important, mais

du matériel sur lequel nous travaillons. Si on m'avait pris un seul éclat, je le saurais. Tout y est.

Il fronça les sourcils.

– Qui vous a dit qu'il avait volé l'un de ces objets ?

– Un tiers, répondit Leaphorn. Le jeune Navajo a un petit frère. C'est lui qui me l'a dit.

– C'est curieux, dit Reynolds.

Leaphorn ne dit rien. Puis il pensa. Oui, c'est très curieux.

5

Lundi 1er décembre,
20 h 37.

La lune était maintenant à mi-hauteur dans le ciel ; elle avait perdu la couleur jaune de son lever et présentait une face creusée de cicatrices, d'une blancheur glaciale. C'était une lune d'hiver. Et sous cette lune, Leaphorn avait froid. Il était assis dans l'ombre d'un surplomb rocheux, le regard tourné vers la communauté qui s'était donné le nom de Toison de Jason. Le froid s'insinuait à travers la veste de son uniforme, à travers sa chemise et son maillot de corps, et mordait la peau sur ses côtes. Il lui mordait également les mollets au-dessus des bottes, les cuisses là où le tissu du pantalon était tendu sur les muscles, ainsi que le dos des mains qui tenaient ses jumelles en métal. Dans un petit moment, Leaphorn avait bien l'intention d'y remédier. Il se lèverait et descendrait rapidement la pente pour arriver à la communauté en contrebas où il tâcherait d'apprendre ce qu'il pourrait. Mais pour l'instant il ignorait cet inconfort, se concentrant à sa manière méticuleuse sur cette phase mineure de son travail qui consistait à retrouver George Bowlegs.

Quelqu'un de moins méticuleux aurait déjà considéré comme un effort vain auquel il convenait de mettre un terme ce kilomètre et demi de marche depuis l'endroit où il avait garé son véhicule ainsi que l'escalade qui lui avait permis d'atteindre ce point élevé d'où il dominait la communauté. Mais il ne lui vint pas l'idée d'agir de la sorte. Il était venu ici parce que la piste de George Bowlegs l'avait logiquement mené à la communauté. Et avant d'y entrer, il voulait l'étudier. La chance que George Bowlegs y soit caché paraissait extrêmement mince à Leaphorn. Mais cette chance existait, et la procédure suivie par le lieutenant Joe Leaphorn dans des cas similaires consistait à réduire le plus possible les risques. Il valait mieux consacrer en pure perte des efforts à l'observation nécessaire des lieux que de courir le risque de laisser le garçon filer par négligence.

Pour le moment, grâce à l'agrandissement donné par les lentilles des jumelles, Leaphorn examinait une veste en jean. Elle était accrochée au poteau d'angle d'un abri de branchages à côté d'un hogan, à environ deux cents mètres en-dessous de l'endroit où il était assis. Le hogan était une construction octogonale régulière en rondins érigée selon la coutume navajo avec une entrée unique qui faisait face au lever du soleil et un trou pour la fumée au centre du toit. Derrière, Leaphorn distinguait un abri de planches et encore derrière un corral à l'intérieur duquel des moutons se serraient les uns contre les autres : il y en avait probablement une vingtaine. Leaphorn supposa que les moutons appartenaient aux habitants de la communauté qui était actuellement composée de quatre hommes et de trois femmes. La terre qui leur était allouée pour faire paître les moutons appartenait à Frank Bob Madman, et le hogan, d'où une mince colonne de fumée s'élevait maintenant dans le clair de lune glacé, appartenait selon la tradition navajo au fantôme d'Alice Madman.

Tout cela et bien plus encore, Leaphorn l'avait appris en faisant halte à un hogan situé à environ six kilomètres de là sur le chemin de terre. Avec le couple de jeunes Navajos qui y habitaient il avait parlé du temps, des difficultés du marché de la laine, d'une proposition du Conseil Tribal visant à investir des fonds navajos dans la réalisation d'abreuvoirs pour les bêtes, du nouveau-né du jeune couple et, enfin, du groupe de Belacani qui habitaient dans le hogan un peu plus loin sur le chemin de terre. Ils lui avaient appris que Frank Bob Madman avait abandonné le hogan presque trois ans plus tôt. Madman était un jour parti à Gallup pour y acheter du sel et s'était aperçu en rentrant que celle qui avait été sa compagne de tant d'années était morte pendant son absence. (Elle avait déjà eu une petite attaque, avait dit Jeune Epousé. Sans doute que cette fois-là ça en a été une grosse). Il n'y avait eu personne pour sortir Alice Madman du hogan afin que son fantôme *, au moment de la mort *, puisse

60

s'échapper vers ses errances éternelles. Par conséquent le chindi était resté prisonnier à l'intérieur du hogan. Madman avait fait enterrer le corps sous des rochers par un berger Belacani qu'il avait fait venir des environs de Ramah. Il avait fait un trou dans un mur et avait condamné avec des planches le trou à fumée dans le toit ainsi que l'entrée, comme il était de coutume pour un hogan où quelqu'un était mort, de telle sorte que le fantôme ne puisse aller embêter les gens. Ces devoirs une fois remplis, Madman avait pris son chariot et ses moutons et s'en était allé. Jeune Epousé pensait qu'il était retourné vers son propre clan, les Fronts Rouges, quelque part du côté de Chinle. Et puis, cela avait fait un an au printemps dernier, les Belacani étaient arrivés. Ils étaient seize dans un bus de ramassage scolaire et un petit car Volkswagen. Ils s'étaient installés chez Madman, habitant dans le hogan de la morte et sous deux grandes tentes. D'autres étaient encore arrivés et, à la fin de l'été, ils étaient trente-cinq ou quarante à vivre là.

Ce nombre avait baissé durant l'hiver, et à l'époque la plus froide de l'année, en plein milieu de la Saison-où-le-Tonnerre-Dort, il y avait eu une seconde mort dans le hogan du fantôme d'Alice Madman. La population s'était stabilisée au printemps puis avait de nouveau beaucoup baissé cet automne, et il ne restait plus que quatre hommes et trois femmes.

– Cette mort-là, demanda Leaphorn, qui était-ce ? Comment cela s'est-il passé ?

C'était une jeune femme, très grosse, très tranquille, plutôt laide. Quelqu'un avait dit que la Fille Laide souffrait du cœur. Jeune Epousé,

61

cependant, pensait que cela était dû à un abus d'héroïne ou peut-être au fantôme d'Alice Madman.

– Certains prenaient de l'héroïne, alors, intervint Jeune Epousé. Peut-être qu'elle est morte d'une overdose. C'est ce que nous avons entendu dire.

Jeune Epousé avait haussé les épaules. Il avait passé douze mois au Vietnam dans le Premier de Cavalerie. Ni la drogue ni la mort ne pouvaient l'émouvoir. Il parlait de ces Blancs avec un intérêt impersonnel teinté d'amusement, mais comme tous ceux qui habitent dans des endroits où leurs congénères sont rares, il connaissait maints détails sur la vie de ses voisins. En règle générale, Jeune Epousé considérait que les habitants de la Toison de Jason étaient généreux, ignorants, gentils, avaient de mauvaises manières mais n'étaient pas mal intentionnés. Du côté positif de la balance, ils permettaient de faire des voyages gratuits à Ramah, Gallup, et même une fois à Albuquerque. Du côté négatif, ils avaient contaminé la source située au-dessus de chez Madman l'été précédent à cause de leurs défécations, étaient responsables d'un feu qui avait ravagé environ vingt hectares de bons pâturages à moutons, et ils ne savaient pas s'occuper de leurs moutons, ce qui voulait dire qu'à cause d'eux la gale ou d'autres maladies risquaient d'apparaître chez les bêtes. Oui, parmi les visiteurs se trouvait un garçon navajo qui venait parfois tout seul et parfois avec un garçon Zuñi.

Les autres visiteurs étaient des Belacani, jeunes pour la plupart, pour la plupart à cheveux longs. Jeune Epousé était à la fois curieux et amusé. Que cherchaient-ils tous ? Que cherchait chacun d'eux ?

– Ils ont donné à leur campement le nom de

62

Toison de Jason, dit Leaphorn. Vous connaissez cette histoire ? C'est l'histoire d'un héros comme notre histoire de Tueur-de-Monstres et de Né-des-Eaux, les jumeaux qui sont partis à la recherche du Soleil. Dans l'histoire des hommes blancs, Jason était un héros qui parcourait le monde pour trouver une toison d'or. Peut-être que ça symbolisait l'argent. Je crois que c'était censé symboliser tout ce que les gens doivent découvrir pour trouver le bonheur.

– J'en ai entendu parler, acquiesça Jeune Epousé. C'était supposé être une peau de mouton couverte d'or.

Il rit.

– Je crois qu'on a davantage de chances de trouver la gale sur les moutons qu'ils élèvent, dit-il.

Tout en souriant légèrement à ce souvenir, Leaphorn regardait la veste en jean et conclut qu'elle était trop grande pour être celle que Bowlegs portait en quittant l'école. Il déplaça lentement ses jumelles, vit la colonne de vapeur qui montait du trou à fumée du hogan, l'abri de planches, l'abri de branchages, revint en arrière. Il y avait une table sous l'abri de branchages, en partie prolongée dans l'obscurité. Dessus, des ustensiles de cuisine réfléchissaient la lumière de la lune. Derrière, il y avait quelque chose dans l'obscurité qui était peut-être une selle, et quelque chose de suspendu qui ne pouvait être qu'une carcasse de cervidé. Leaphorn l'examina. A la limite de son champ de vision quelque chose attira son attention. La forme d'une ombre qui contredisait la façon dont sa mémoire avait enregistré les ombres sous cet abri. Il déplaça légèrement les jumelles. Les rayons obliques de la lune projetaient derrière le hogan, sur la terre dure et nue, l'ombre du pieu qui soutenait ce coin de l'abri, l'ombre d'une partie de la table et, à côté, les ombres de deux jambes. Il y avait quelqu'un sous l'abri. Les ombres des jambes étaient immobiles. Leaphorn fronça les sourcils. Les jeunes voisins avaient dit qu'il n'y avait que sept Belacani qui habitaient là désormais. Il avait vu deux hommes et deux femmes partir dans le bus scolaire. Il avait vu un homme et une femme, Susanne à en juger d'après la description qu'Isaacs lui avait faite d'elle, rentrer dans le hogan. Il avait supposé que le dernier homme se trouvait également à l'intérieur. Etait-ce lui qui se tenait debout aussi silencieusement sous l'abri de branchages ? Mais quelle raison aurait-il eu de rester là dans le clair de lune glacial ? Et comment y était-il arrivé sans que Leaphorn le voie ? Tandis qu'il réfléchissait à tout ça, la silhouette bougea. Avec la vivacité d'un oiseau, elle quitta le couvert de l'abri pour le côté du hogan où elle se fondit dans l'ombre. Elle s'était accroupie tout contre les rondins. Que pouvait-elle donc bien faire ? Elle écoutait ? C'était l'impression qu'elle donnait. Puis la silhouette se redressa, la tête apparut dans la lumière oblique de la lune. Leaphorn retint son souffle. La tête vue de profil était celle d'un oiseau. Ronde, avec sur l'arrière de grandes plumes ressemblant à celles d'un geai, un bec long et mince de chevalier des sables et une collerette de plumes hérissées là où un cou humain aurait dû se trouver. La tête était ronde. Lorsqu'elle se tourna, il vit deux yeux ronds cerclés de jaune sur fond noir. Il contemplait la face figée, sans expression, d'un kachina. Leaphorn sentit ses

64

cheveux se dresser sur sa nuque. Qu'est-ce que son camarade de chambre lui avait dit au sujet des esprits des morts Zuñis ? Qu'ils dansaient à jamais sous un lac en Arizona ; il se souvenait de ça. L'homme-oiseau se déplaçait à nouveau, s'éloignait du hogan pour disparaître dans l'obscurité entre les pins.

– A ce qu'on raconte, entendit-il son camarade lui dire, ils sont invisibles. Mais on peut les voir si on est sur le point de mourir.

6

Lundi 1er décembre,
21 h 11.

La jeune fille qui s'appelait Susanne s'exprimait avec un léger bégaiement. Ça l'obligeait à marquer une pause avant chaque phrase, et son visage ovale, couvert de taches de rousseur, prenait un air d'intense concentration avant qu'elle ne prononce le premier mot. Pour l'instant, elle disait que George Bowlegs séchait peut-être tout simplement l'école, qu'il lui arrivait de faire l'école buissonnière pour aller chasser le cerf, que c'était probablement ce qu'il était en train de faire.

– C'est peut-être le cas, dit Leaphorn.

Il ressentait pour elle une attirance amusée. Peut-être, un jour, y parviendrait-elle mieux, mais elle ne ferait jamais partie des menteurs de talent. Il laissa le silence s'installer. La couverture qui était suspendue contre le mur du hogan en face de lui était d'un beau tissage Two Gray Hills et devait valoir dans les trois cents dollars. Est-ce que Frank Bob Madman l'avait laissée derrière lui quand ce hogan avait été abandonné au fantôme malveillant ? Ou bien est-ce que ces jeunes Belacani l'avaient achetée quelque part et l'avaient amenée avec eux ? L'homme qui s'appelait Halsey bougeait très légèrement sur son fauteuil à bascule, d'avant en arrière, le visage caché, à l'exception du front, derrière la reliure noire d'un livre. Ses bottes étaient sales, mais c'étaient de très belles bottes. Halsey intéressait Leaphorn. D'où venait-il ? Et qu'espérait-il trouver ici alors que les hommes blancs avant lui n'y avaient jamais rien trouvé ?

– En tous cas, dit Susanne, je suis abs-s-s-solument sûre qu'il n'a rien fait à Ernesto. On aurait dit deux frères.

– C'est ce qu'on m'a dit, reconnut Leaphorn. Ted Isaacs m'a raconté...

Le jeune homme au crâne rasé s'exclama : « Non ! »

Le mot avait été prononcé à voix haute, comme sous le coup de la surprise, et n'avait de toute évidence aucun rapport avec ce que Leaphorn était en train de dire. C'était le premier mot que Leaphorn l'entendait prononcer.

– C'est Otis, avait dit Susanne. Il est malade aujourd'hui.

Et Otis, allongé sur le matelas posé sur le sol du hogan, avait tourné vers Leaphorn des yeux flous et brillants, l'avait regardé sans rien dire. Ce n'était pas

66

un regard nouveau pour Leaphorn. Il l'avait vu dans les cellules où l'on enferme les ivrognes, dans les salles des hôpitaux, causé par le vin et la marijuana, par l'alcool et les boutons de peyotl *, par le délire des fortes fièvres, le LSD et le venin des morsures de crotales.

– Non, répéta Otis, plus bas cette fois, confirmant simplement son refus d'une vision intérieure.

Susanne posa sa main sur le pied nu, pâle et osseux, d'Otis.

– Tout va bien, Oats, dit-elle. C'est passé maintenant. Ça va.

Halsey se pencha en avant dans son rocking-chair, son visage émergeant au-dessus du livre. Il observa Otis puis tourna vers Leaphorn un regard curieux.

– C'est Halsey, avait dit Susanne. En quelque sorte, c'est grâce à lui que la communauté continue d'exister.

Sous sa moustache, Halsey lui avait adressé un large sourire de défi combatif, puis lui avait tendu la main.

– Je n'avais encore jamais rencontré de poulet navajo, avait-il dit.

Quelle que soit la forme que le cauchemar d'Otis avait prise, il avait laissé son visage tiré et exsangue, et ses yeux reflétaient un état de choc.

– Il a pris du peyotl ? demanda Leaphorn. Si oui, ça passe après une heure ou deux. Mais si ce n'est pas du peyotl, il vaudrait peut-être mieux qu'un docteur le voie.

– Ça ne peut pas être du peyotl, répondit Halsey à nouveau avec un grand sourire. C'est illégal, ce truc-là, non ?

67

– Ça dépend. La tribu considère que c'est tout à fait légitime si c'est fait dans un but religieux. On l'utilise dans le cérémonial de la Native American Church * et bien des gens du Peuple en font partie. En fait, quand quelqu'un prend du peyotl dans le cadre de sa religion, nous ne le remarquons pas. Et c'est bien mon impression qu'Otis est quelqu'un de profondément religieux.

L'ironie de ces paroles et leurs implications n'échappèrent pas à Halsey. Son sourire se fit légèrement amical. Les yeux d'Otis étaient fermés maintenant. Susanne lui caressait le pied droit.

– C'est fini, maintenant, disait-elle. Oatsy, tout va bien.

La sympathie que Leaphorn lisait sur son visage confirmait l'impression qu'il avait eue d'elle. Elle lui dirait tout ce qu'elle savait de George Bowlegs pour la même raison qu'elle essayait pour l'instant de faire oublier à Otis son cauchemar psychédélique absurde.

– Isaacs m'a dit la même chose que vous, reprit Leaphorn. Qu'il était impossible que George ait fait du mal au jeune Zuñi. Mais ce n'est pas le problème. Il semble que quelqu'un s'en soit chargé. Et l'ait peut-être tué. Nous pensons que George peut nous apprendre quelque chose sur ce qui s'est passé.

Susanne caressait maintenant la cheville d'Otis. Son visage était fermé.

– Je ne sais pas où il est, dit-elle.

– J'ai parlé au petit frère de George aujourd'hui, insista Leaphorn. Il m'a dit que George s'est enfui parce qu'il a peur de quelque chose. Vraiment peur. Il m'a dit que George n'a pas peur de nous, la police, parce qu'il n'a rien fait de mal. De quoi George a-t-il peur ?

Susanne l'écoutait attentivement ; son expression obstinée s'effaçait.

– Je n'en sais rien, poursuivit Leaphorn. Je ne peux pas le deviner. Mais je me souviens avoir eu peur quand j'étais gamin. N'avez-vous jamais été terrorisée ? Vous souvenez-vous de comment c'était ?

– Oui, dit Susanne. Je m'en souviens.

Comme si c'était hier, pensa Leaphorn. Ou aujourd'hui peut-être.

– On cède à la panique et des fois on se met à courir, dit-il. Et si on se met à courir c'est encore pire parce qu'on a l'impression que c'est le monde entier qui vous poursuit et on a peur de s'arrêter.

– Ou alors il n'y a aucun endroit où s'arrêter, compléta-t-elle. Par exemple, où est-ce que George pourrait trouver de l'aide ? Vous savez pour son père ? Qu'il est saoul du matin au soir ? Et la plupart du temps c'est George qui doit se préoccuper de ce qu'ils vont manger ?

– Ouais, dit Leaphorn. J'y suis allé.

– Des fois il n'y a même pas de chez soi où rentrer.

Susanne donnait l'impression de s'adresser à Otis qui n'écoutait pas.

– Le gros problème, quand on s'enfuit comme ça en cette période de l'année, c'est le temps. Aujourd'hui c'était encore la fin de l'automne, il y a eu du soleil, parfait. Demain ce sera peut-être l'hiver. Une chute de neige dans la nuit avec peut-être vingt degrés en-dessous de zéro et tout d'un

69

coup on se retrouve sans nourriture et on ne peut plus en trouver.

– Est-ce qu'il fait aussi froid que ça, ici ? Jusqu'à moins vingt ?

– Vous êtes à deux mille mètres au-dessus du niveau de la mer, ici. Pratiquement sur la ligne de partage des eaux. L'an dernier c'est descendu jusqu'à moins vingt-cinq à Ramah et moins vingt-sept à Gallup. Il y a eu onze morts de froid dans la réserve... onze connus.

– Mais je ne sais pas où il est, dit-elle.

– Rien qu'en me répétant ce qu'il vous a dit, ça m'aidera à le retrouver, insista Leaphorn. Pourquoi a-t-il quitté l'école en plein milieu de la matinée ? Pourquoi est-il venu ici ? Qu'est-ce qui lui a fait prendre la fuite ? *Tout* ce dont vous vous souvenez m'aidera. Ça aidera George.

Cette fois-là, Susanne laissa le silence s'installer. Elle pourrait me dire qu'il n'est pas venu ici, pensa Leaphorn. C'est ce qu'elle avait décidé de me dire. Mais elle ne mentira pas. Plus maintenant.

– Je ne sais pas exactement, dit-elle. Je sais qu'il avait peur de quelque chose. Il m'a demandé si je pouvais lui donner un peu de nourriture qu'il pourrait emporter et qui se garderait. Il voulait emmener de la viande de cette biche qui est dehors, sous l'abri. De toutes façons, c'était sa biche à lui. Il nous l'avait amenée la semaine dernière.

– Où allait-il ?

– Il ne me l'a pas dit.

– Mais il a dû dire quelque chose. Essayez de vous souvenir de tout ce qu'il a dit.

– Il m'a demandé si je connaissais bien la

70

religion Zuñi, et je lui ai répondu pas bien. Le peu que Ted m'en avait dit.

Elle s'arrêta, mettant de l'ordre dans ses souvenirs.

– Et puis il m'a demandé si Ted m'avait jamais dit que les kachinas punissaient les gens. (Elle fronça les sourcils). Et si je savais s'il arrivait aux kachinas de pardonner.

– Comment ça ?

– Il a utilisé le mot « absolution ». Il a dit : « Si on viole un tabou Zuñi, y a-t-il un moyen d'obtenir l'absolution ? » Je lui ai dit que je n'en savais rien.

Elle regarda Leaphorn avec curiosité.

– Est-ce que c'est possible ?

– Je ne suis pas Zuñi, répondit Leaphorn. Un Navajo n'a pas plus de chances de connaître la religion Zuñi qu'un homme blanc de connaître le shintoïsme.

– Ça paraissait important pour George. Je l'ai bien vu. Il n'arrêtait pas d'en parler.

– Il s'agissait de lui pardonner à lui ? Vous a-t-il donné la moindre idée de qui avait besoin de ce pardon ? Etait-ce lui ? Ou Ernesto ?

– Je ne sais pas. Moi, j'ai pensé que c'était pour lui. Mais peut-être que c'était pour Ernesto.

– Il n'a fait aucune allusion à ce qui rendait ce pardon nécessaire ? De quel genre de...

Leaphorn s'interrompit, cherchant le mot exact. Pas crime. Sacrilège, alors ? Il laissa la phrase en suspens et posa sa question autrement.

– A-t-il dit ce qui avait pu offenser les kachinas ?

– Non. Je me suis posé la même question, mais le moment paraissait mal choisi pour le lui demander. Il était bouleversé. Et très pressé. C'était la première fois que je le voyais pressé.

– Il a donc emporté de la venaison, dit Leaphorn. Combien en a-t-il pris ? Et qu'a-t-il pris d'autre ?

Susanne rougit. Elle tira la longue manche crasseuse de son pull pour cacher ses phalanges.

– Il n'a rien emporté, dit Halsey. Il en a demandé. Mais il n'en a pas eu. A sa façon de se comporter je me suis dit qu'il fuyait la justice ou quelque chose d'approchant. Les gens qui habitent ici ne veulent rien avoir à faire avec les fugitifs ; ils ne les aident pas et ne se font pas leurs complices ; ils ne font rien qui puisse donner aux poulets la moindre raison de venir nous emmerder.

Il fit un large sourire à Leaphorn.

– Nous respectons la loi.

– Il est donc parti d'ici sans nourriture, reprit Leaphorn.

– Je l'ai obligé à prendre ma vieille veste, dit Susanne.

Elle regardait Halsey avec un curieux mélange de défi et de crainte.

– C'était un vieux truc molletonné en rayonne bleue, troué au coude.

– A quelle heure est-il parti ?

– Il est arrivé ici en début d'après-midi et je pense qu'il est parti environ dix minutes après : à trois heures à peu près, ou trois heures et quart.

– Et il n'a pas dit où il comptait aller ?

– Non, répondit Susanne. En tous cas, pas vraiment. George est un peu fou. Plein de drôles d'idées. Il a dit qu'il allait peut-être partir assez longtemps parce qu'il fallait qu'il trouve les kachinas.

72

Leaphorn s'arrêta à la clôture d'un côté de laquelle se trouvait la route allant de Ramah à Ojo Caliente, et de l'autre les terres pâturables allouées par les Navajos. Il coupa son moteur, bâilla. Dans un moment il descendrait de voiture, ouvrirait la porte barbelée et poursuivrait sa route jusqu'à Ramah. Mais pour l'instant il restait là, affalé sur son siège, s'abandonnant à la fatigue. Il avait entendu parler de George Bowlegs pour la première fois aux environs de midi, et il était plus de minuit. Bowlegs, petite crapule, où es-tu ? Est-ce que tu dors bien au chaud ? Leaphorn poussa un soupir, descendit de voiture, marcha jusqu'à la porte, les jambes raides, l'ouvrit, remonta dans la fourgonnette, passa la porte, redescendit, ferma la porte, remonta dans son véhicule et s'éloigna sur la route secondaire en soulevant un nuage de poussière et de gravillons. Il frissonna légèrement et mit plus de chauffage. Dehors, l'air était d'une immobilité absolue, le ciel sans nuages, la lune presque à la verticale. Cette nuit il allait geler sérieusement. Et où étaient George Bowlegs et Ernesto Cata ? Morts ? Cata peut-être, mais cela semblait soudain peu probable. Personne n'avait de raison logique de le tuer. Le sang pouvait venir d'ailleurs. Il avait sûrement perdu son temps aujourd'hui. A part le sang, il n'y avait pas grand chose. Deux mètres carrés de terre imbibée de sang séché sous un pin, et deux garçons disparus. Dont l'un, de l'avis de tous, était un peu fou. Qu'y avait-il d'autre ? Quelque chose qui avait été volé au campement de l'anthropologue, un objet si peu important qu'on ne s'en était pas aperçu. Et quelque chose qui ressemblait à un kachina Zuñi rôdait en pleine nuit autour d'une communauté hippie. Qu'est-ce que ça pouvait bien être ? Il repensa à ce que ses yeux avaient vu dans les jumelles, reformant l'image dans sa mémoire. Ses yeux avaient-ils interprété quelque chose qui ne paraissait étrange qu'en raison de cet éclairage trompeur, pour en faire ce que son imagination lui suggérait ? Dans ce cas, de quoi s'agissait-il ? D'un grand feutre fendu en son sommet de manière inhabituelle ? Non. Leaphorn poussa un soupir et bâilla. La fatigue vibrait dans sa tête. Il ne parvenait plus à se concentrer. Il resterait dormir à la maison chapitrale de Ramah cette nuit. Demain matin il irait voir où en était la police Zuñi. Ils lui diraient que Cata était rentré chez lui pendant la nuit et avait avoué qu'il s'était livré à une mauvaise plaisanterie. Leaphorn connaissait soudain l'explication de tout ça. Un mouton égorgé pour les cérémonies de Shalako. Les garçons en avaient gardé le sang, s'en étaient servi pour faire une farce compliquée, inconscients de la cruauté de leur geste.

Là où la route traversait la crête qui dominait la vallée de Ramah, Leaphorn ralentit, brancha son émetteur-récepteur. Le radio de Ramah devait être couché depuis longtemps mais il obtint rapidement Window Rock.

Il y avait trois messages pour lui. Son supérieur voulait savoir s'il progressait dans l'affaire de l'argent détourné qui aurait dû servir à payer le camion. Sa femme avait téléphoné pour qu'on lui rappelle qu'il avait un rendez-vous chez le dentiste à 14 heures à Gallup. Et la police Zuñi avait appelé pour demander qu'on le prévienne qu'Ernesto Cata avait été retrouvé.

74

Leaphorn fronça les sourcils en regardant sa radio.

– Retrouvé ? Ils n'ont rien dit d'autre ?

– Attendez que je vérifie, lui répondit son interlocuteur. Ce n'est pas moi qui ai pris le message.

Il semblait avoir sommeil. Leaphorn se passa la main sur le visage, réprimant un bâillement.

– Ils ont retrouvé son corps, lui dit la voix.

7

Mardi 2 décembre,
7 h 22.

Le soleil, qui se levait au-dessus de Oso Ridge, réchauffa le côté droit du visage de Joe Leaphorn et projeta à l'horizontale l'ombre de son profil sur la terre grise brute mise à nu par l'éboulement de terrain. Il était debout, les bras croisés sur l'estomac ; ses oreilles enregistraient le râclement des pelles mais ses yeux ne se préoccupaient que de la beauté du matin. La vue que l'on avait depuis cette crête érodée qui dominait Galestina Canyon était splendide. A quinze kilomètres vers le nord-ouest, le soleil frappait le versant est des Zuñi Buttes. Il se réfléchissait sur le château d'eau jaune qui indiquait l'endroit où le gouvernement avait fait construire Black Rock pour y installer les employés

75

du Bureau des Affaires Indiennes. L'aile d'un avion de tourisme qui décollait de la piste de Black Rock renvoya ses rayons. A cinq kilomètres en remontant la vallée, presque plein nord, les rayons du soleil illuminaient la fine brume que formaient les fumées matinales montant des cheminées du village de Zuñi. Beaucoup plus près, à un mètre de la pointe de la botte de Leaphorn, il éclairait la semelle usée d'une chaussure basse de petite taille. La chaussure dépassait de l'amas de terre et de pierraille consécutif à l'éboulement : une chaussure noire, à fermeture Velcro. C'était une chaussure d'athlétisme avec cinq pointes à l'avant de la semelle et aucune sous le talon parce que le talon d'un athlète ne touche pas le sol. Une partie du talon de l'athlète était visible, ainsi que son tendon d'Achille et deux à trois centimètres de mollet musclé. La terre recouvrait le reste. Le regard de Leaphorn s'arrêta sur le village de Zuñi. Halona, dans leur langue à eux. Halona Itawana. La Fourmilière-au-Milieu-du-Monde. Une petite colline à côté d'un méandre de la rivière Zuñi pour l'instant à sec, une petite colline de maisons en pierre rouge serrées les unes contre les autres pour former le vieux village et entourées maintenant d'un nombre grandissant de maisons plus récentes. Peut-être six mille Zuñis, pensa Leaphorn, et cent soixante-dix kilomètres carrés ; et à part quelques centaines, ils vivaient tous comme des abeilles dans cette unique ruche bourdonnante d'activité. Jusqu'à vingt-cinq ou trente par maison, lui avait-on dit. Toutes les filles d'une même famille * habitaient sous le toit de leur mère, y habitaient avec leur mari et leurs enfants dans une sorte de coutume inverse de l'ostracisme frappant la belle-mère chez les Navajos. Une poignée de Zuñis vivaient donc dans une ville plus grande que n'en avaient jamais construit les Navajos dont le nombre était de cent trente mille. Quelle était la force qui poussait les Zuñis à se rassembler de la sorte ? Etait-ce la force opposée à celle qui poussait son propre Dinee à se disperser, à rechercher l'isolement, autant pour trouver de l'herbe, du bois et de l'eau, que pour être maître du site de son hogan ? Etait-ce pour cette raison que le peuple Zuñi avait survécu à cinq siècles d'invasions ? Y avait-il une loi naturelle, comparable à celle de la masse critique en physique nucléaire, qui voulait qu'un nombre x d'Indiens concentrés dans un nombre x de mètres carrés puissent résister aux Coutumes des Hommes Blancs en puisant leur force les uns dans les autres ?

L'avion, que la distance rendait silencieux, vira sur l'aile en direction du nord, vers Gallup ou Farmington, voire Shiprock ou Chinle, et un bref éclair de soleil se réfléchit sur l'une de ses surfaces brillantes. Juste sur la gauche de Leaphorn, Ed Pasquaanti, tête nue, ses cheveux drus et gris taillés en brosse, appuyait sur le manche de sa pelle. Derrière lui, trois autres Zuñis travaillaient méthodiquement. Ils s'appelaient Cata, Bacobi et Atarque. Ils étaient respectivement le père et les oncles d'Ernesto Cata. Ils creusaient avec une lenteur délibérée, sans dire un mot. Le tas de terre s'amenuisait, révélant quelques centimètres supplémentaires de la jambe d'Ernesto Cata.

— Où avez-vous trouvé la bicyclette ? demanda Leaphorn. Si vous n'avez pas pu regarder à loisir, je pourrais aller jeter un coup d'œil.

Il s'était proposé une fois, cinq minutes plus tôt, lorsqu'il était arrivé, à les aider à creuser.

– Non, merci, lui avait répondu l'oncle qui s'appelait Thomas Atarque. Nous y arrivons.

C'était la terre Zuñi, et le corps qui se trouvait dessous était la Chair de la Chair Zuñi. Leaphorn avait senti que creuser en cet endroit, à cet instant précis, était déplacé pour un Navajo. Il ne renouvellerait pas son offre.

– Le vélo était là en-bas, dit Pasquaanti.

Il désigna l'endroit du doigt.

– Glissé sous la partie supérieure de cet affleurement de grès à flanc de colline. J'ai cherché suffisamment longtemps pour repérer les traces qui montaient jusqu'ici. Mais il commençait à faire nuit.

Etant donné les circonstances, la bicyclette avait été remarquablement bien cachée. Elle avait été à demi glissée sous une saillie de rocher puis on l'avait dissimulée avec de l'herbe morte et des broussailles. Même maintenant que le camouflage avait été enlevé, il n'était pas facile de la voir. Leaphorn la contempla, se disant d'abord que celui qui l'avait dissimulée ici avait trouvé cette cachette de nuit. Avec la lune pour seul éclairage : et deux jours auparavant ce n'était que la demi-lune. Les implications étaient suffisamment claires. Celui qui avait amené ici le corps d'Ernesto Cata pour le cacher sous un amas de terre éboulée connaissait très bien le coin, ou alors il avait tout prémédité. George Bowlegs le connaissait sûrement et, pensa Leaphorn sur la défensive, un millier de Zuñis le connaissaient aussi. Il se mit au travail méthodiquement.

La bicyclette avait été poussée jusque-là le long

d'une piste tracée par des cervidés. Leaphorn la suivit à rebours jusqu'à un chemin, tracé par les moutons, qui descendait la pente. Le chemin descendait à l'oblique vers le nord en direction du pueblo Zuñi. Il vérifia tout, travaillant lentement. Quand il atteignit le groupe d'arbres où Cata s'était vidé de son sang, il était midi. Il passa trois heures de plus dans ce petit périmètre, la plupart du temps accroupi, à examiner le sol poussiéreux.

Il y avait cinq séries de traces récentes. Il élimina rapidement les marques de talons de caoutchouc Goodyear laissées par Pasquaanti, et celles des semelles quadrillées de l'oncle Cata qui avait découvert le sang. Ce qui laissait des bottes de cow-boys, sans doute celle de George Bowlegs, qui étaient descendues de bicyclette à proximité des arbres, les chaussures de piste d'athlétisme à cinq pointes de Cata et les mocassins portés par celui qui avait poussé la bicyclette sur laquelle il avait chargé le corps du garçon. Leaphorn s'assit sur un pan de rocher et réfléchit à ce que ces traces lui apprenaient. Pas grand chose.

Le crime ne semblait pas avoir été prémédité, tout au moins pas entièrement. Quand on prévoit de porter un corps assez loin sur un terrain accidenté en escaladant une colline, on ne porte pas des mocassins si on a le moindre respect pour ses pieds. On porte des chaussures aux semelles et aux talons plus résistants. L'Homme-qui-Portait-des-Mocassins avait attendu en se cachant parmi les genévriers. Placé là en embuscade, il aurait pu frapper Cata si son intention avait été de le tuer. Mais il ne l'avait pas fait. Les mocassins avaient quitté leur cachette. Les mocassins et les chaussures à pointes

79

s'étaient fait face suffisamment longtemps pour avoir le temps de se déplacer un peu et pour que la répartition du poids des corps se trouve modifiée. Ils s'étaient tenus tout près l'un de l'autre. (Mocassins avait-il saisi le bras de Cata ?) Puis trois grandes enjambées vers le bas de la colline et Cata était tombé et s'était vidé de son sang sur la terre assoiffée. Alors Mocassins avait fait rouler le vélo jusqu'à l'endroit où le sang s'était répandu, avait hissé Cata dessus et s'était éloigné en le poussant. Mais il paraissait fort peu probable qu'il ait su qu'il pourrait utiliser la bicyclette. A moins que Mocassins ne fût George Bowlegs. Etait-il concevable que ce garçon soit venu en vélo jusqu'ici avec ses bottes de cowboy, ait posé le vélo, se soit dirigé vers les rochers et ait mis des mocassins ? De toute évidence, ce n'était pas *impossible*. Mais Leaphorn ne voyait pas pourquoi il aurait agi ainsi. Il essayait d'imaginer ce que Mocassins et Cata avaient pu se dire lorsqu'ils s'étaient retrouvés nez à nez. Il n'avait pas le moindre élément pour avancer une hypothèse.

Il alluma une cigarette. Un geai jaillit des genévriers dans un éclair de plumes bleues et fila vers Corn Mountain. Un mince filet de fumée bleue s'élevait en spirale de la cigarette de Leaphorn puis s'effilochait dans l'air frais. Au nord, un avion à réaction traçait une ligne blanche dans le ciel. Plus loin, le ciel couvert était gris. De façon répétée tout au long de cet automne poussiéreux, de tels présages avaient annoncé l'arrivée de la neige. Et tout l'automne, après un été de sécheresse, ces présages avaient menti. Leaphorn étudia le ciel, le visage maussade. Il ne parvenait pas à mettre de l'ordre dans ses idées, ne trouvait pas trace de cet agréable plaisir abstrait que l'application précise de la logique lui apportait toujours. Au lieu de cela, il n'y avait que l'opposition discordante de l'improbable et du quasi-impossible, un effet sans cause, un acte sans mobile, un chaos sans raison. L'esprit extrêmement ordonné de Leaphorn en souffrait. La dureté du grès commençait à lui faire mal aux fesses mais il ne s'en préoccupait pas, de même qu'il ne se préoccupait pas de sa faim, obligeant ses pensées à faire abstraction de ces sensations, réfléchissant tout en contemplant, sourcils froncés, les pentes broussailleuses de Corn Mountain.

Leaphorn faisait partie du Taadii Dinee, le Clan de Ceux-qui-Parlent-Lentement. Le père de sa mère était Nashibitti, grand chanteur des Voies * de la Beauté, du Sommet de la Montagne, ainsi que d'autres rites guérisseurs *, un homme si sage qu'on disait que les gens de Beautiful Mesa avaient ajouté Hosteen à son nom alors qu'il n'avait pas encore trente ans, et l'avaient appelé Grand-Père alors qu'il était encore bien trop jeune pour l'être vraiment. Leaphorn avait grandi auprès de Hosteen Nashibitti quand Nashibitti avait atteint l'âge mûr aussi bien en nombre d'années qu'en sagesse. Il avait grandi parmi les éleveurs de moutons et les chasseurs de Beautiful Mesa, parmi des familles elles-mêmes issues de familles qui avaient choisi de périr quand les cavaliers de Kit Carson étaient arrivés en 1864. Ainsi, les souvenirs tribaux, transmis de générations en générations, qui avaient peuplé la jeunesse de Leaphorn n'étaient pas, contrairement à la majorité des Navajos de son âge, ces histoires remontant à leurs grand-pères qui racontaient la façon dont ils avaient été conduits en captivité, la Longue Marche qui les avait emmenés loin des montagnes sacrées jusqu'au camp de concentration de Fort Stanton, la variole, l'insolence des Apaches, la misère, la honte, et finalement la Longue Marche pour revenir chez eux. Non, les histoires de Nashibitti relataient le côté sanglant de la tragédie : elles parlaient de deux frères armés d'arcs contre une troupe de cavaliers armés de fusils ; de moutons passés au sabre, de hogans incendiés, du bruit des haches abattant les pêchers, des corps des enfants dans la neige, du rouge des flammes dévorant les champs de maïs et, finalement, de la litanie des familles mourant de faim, pourchassées dans les canyons par la cavalerie de Kit Carson. Dans l'un de ces canyons où régnait la famine, une mère mourante avait donné le jour au garçon qui allait devenir Hosteen Nashibitti et le grand-père de Leaphorn. Pendant toute son enfance, ses oreilles avaient résonné des récits de son oncle qui relataient comment une sublime bravoure avait répondu à une cruauté brutale ; comment Carson s'était prétendu l'ami des Navajo, et comment Carson, aidé par les Utes abhorrés, avait chevauché à travers les paisibles champs de maïs comme la mort sur un cheval. Mais en fait, Nashibitti n'avais jamais appris cette amertume. Lorsqu'il avait été initié au Yeibichai * au cours de la dernière nuit de la Voie de la Nuit, le nom secret qui lui avait été donné avait été Celui-qui-Pose-des-Questions. Mais pour Leaphorn, soixante-dix ans plus tard, il avait été Celui-qui-Répond. C'était Nashibitti qui avait enseigné à Leaphorn les mots et les légendes de la Voie de la Bénédiction, qui lui avait raconté ce que le Peuple Sacré * avait dit au

82

Peuple de la Surface de la terre sur la façon dont il fallait vivre, lui qui lui avait enseigné les leçons de Femme-qui-Change * : que le seul but de l'homme était la beauté, que ce n'était que dans l'harmonie que l'on pouvait trouver la beauté, et que cette harmonie de la nature était d'une incroyable complexité.

– Lorsque le bousier bouge, lui avait dit Hosteen Nashibitti, sache que quelque chose le fait bouger. Et sache que son mouvement affecte le vol du moineau, que le corbeau oblige l'aigle à modifier son vol, que l'aile rigide de l'aigle infléchit la volonté du Peuple du Vent, et sache que tout cela nous affecte toi et moi, ainsi que la puce sur le chien de prairie et la feuille du peuplier.

Ça avait toujours été le sens de ces leçons. L'interdépendance de la nature. Chaque cause entraînait un effet. Chaque action, sa réaction. Tout avait une raison. En toute chose il y avait un ordre, et dans cet ordre résidait la beauté de l'harmonie. On apprenait ainsi à vivre avec le mal, en le comprenant, en en découvrant la cause. Et ainsi était-il possible d'apprendre graduellement et méthodiquement, si on avait de la chance, à toujours « aller vers la beauté », à toujours chercher l'ordre derrière les choses et à le trouver.

Leaphorn écrasa son mégot de cigarette sur un rocher, éparpillant le tabac d'un geste de colère. Il n'y avait aucun ordre là-dedans. Cata était mort sans raison. George Bowlegs n'avait pas pris la fuite au moment où il aurait dû le faire, puis il l'avait fait alors qu'il n'aurait pas dû. Leaphorn se leva et épousseta le fond de son pantalon kaki sans cesser de réfléchir. Il se rendit compte que ce qui le tracassait le plus, ce n'était nullement ces très importantes incongruités, c'était les plus petites. Pourquoi Cecil Bowlegs lui avait-il dit que Cata avait volé des objets anciens sur le chantier des fouilles consacrées aux Hommes Préhistoriques ? Cecil n'avait aucune raison de mentir en niant un tel vol. Pourquoi Cecil pensait-il que George fuyait un kachina vengeur alors que George avait dit à Susanne qu'il allait à la recherche d'un kachina ? Et qu'était cette chose bizarre que Leaphorn avait vue à la Toison de Jason, cette chose à corps d'homme et à tête d'oiseau ? Se pouvait-il que quelqu'un se soit affublé de l'un des masques de la religion Zuñi ? Faire une telle chose dans un but étranger à la religion devait sans aucun doute être le pire des sacrilèges. Il n'y avait aucune réponse possible à ces questions.

Leaphorn se mit à descendre rapidement la pente en direction du village de Zuñi. Le corps devait maintenant s'y trouver et la cause de la mort était sûrement connue. Il allait s'en assurer. Et lorsqu'il en aurait le temps, il se pencherait de plus près sur la religion Zuñi. Mais avant d'en arriver là, il s'arrangerait pour que Shorty Bowlegs soit suffisamment sobre pour pouvoir répondre à ses questions, même s'il lui fallait le boucler pour y parvenir.

8

Mardi 2 décembre,
18 h 11.

Les phares de la voiture de police de Joe Leaphorn se perdirent un court instant dans une aveuglante bourrasque de poussière d'un gris rougeâtre, et l'instant suivant dans la blancheur d'une rafale de flocons de neige. Pour avancer il fallait distinguer la piste sinueuse et cahoteuse au milieu des bourrasques et des rafales et, quand elle devenait brusquement invisible, se souvenir de l'endroit où les roues continueraient à la suivre. Ayant déjà crevé une fois la veille sur cette même piste dangereuse qui menait au hogan de Shorty Bowlegs, et ne disposant plus de roue de secours, Leaphorn avançait extrêmement lentement. Il n'était pas particulièrement pressé. Il n'avait pas vraiment l'espoir que Shorty Bowlegs, à condition qu'il soit assez sobre maintenant pour pouvoir s'exprimer de manière cohérente, puisse lui apprendre quelque chose de très utile. Néanmoins, Bowlegs représentait la dernière source d'information qui lui restait. Après Bowlegs, il ne lui resterait plus personne à aller voir. C'était le cul-de-sac final de l'affaire Cata, et Leaphorn se connaissait trop bien pour envisager de rien négliger. Toutes les autres sources d'information avaient été utilisées et les incongruités demeuraient. Elles ne le laisseraient pas en paix. Un garçon avait été tué sans raison. L'esprit rationnel de Leaphorn ne pouvait pas l'accepter. La sauterelle elle-même ne s'envole pas

85

sans raison. Son esprit allait passer et repasser sur les arêtes vives de ce problème comme la langue sur une dent cassée. Il rejetterait l'idée selon laquelle Cata avait été tué sans cause et selon laquelle George Bowlegs s'était enfui le lendemain du crime quand la raison aurait voulu qu'il eût fui toute cette histoire irrationnelle un jour plus tôt.

Leaphorn engagea la fourgonnette sur la dernière pente menant à l'habitation de Bowlegs. Il plongea dans une ornière avec un bruit effrayant. Il proféra un juron navajo très explicite qui s'adressait à la fois à l'obscurité, au temps, à lui-même, à la tribu Zuñi en général et à Ed Pasquaanti en particulier. Il tourna pour garer son véhicule sur la terre dénudée et battue par les intempéries.

Ses phares éclairèrent l'abri de branchages de Bowlegs, illuminèrent une seconde un corral à moutons en contrebas, balayèrent le seuil du hogan sur lequel se tenait une silhouette vêtue d'une chemise bleue et, lorsque Leaphorn serra le frein à main, s'arrêtèrent enfin, dirigés droit sur les branches vertes d'un genévrier. Il coupa le moteur mais pas les lumières. Il se sentait soulagé. Bowlegs était réveillé, suffisamment sobre, en plus, pour se tenir sur le seuil, et suffisamment curieux pour venir voir qui était son visiteur.

Leaphorn secoua son paquet de cigarettes pour en sortir une, l'alluma et attendit. La coutume et les bonnes manières navajo exigeaient cette attente. Cette tradition était née il y avait très longtemps pour que les fantômes qui peuplaient la réserve et suivaient les voyageurs aient le temps de se lasser et de partir de telle sorte qu'ils ne puissent pénétrer à la suite de l'invité dans le hogan de son hôte. Elle survivait aujourd'hui autant par respect pour la vie privée d'un peuple rural éparpillé, qu'à cause de la peur déclinante du chindi. Sans s'interroger sur la raison de son attitude, le lieutenant Joe Leaphorn attendait dans son véhicule que Shorty Bowlegs ait enfilé un pantalon ou se soit préparé à recevoir son visiteur. Et quand Bowlegs serait prêt, il sortirait devant la porte de son hogan pour en avertir Leaphorn.

Leaphorn attendait. Le vent secouait la fourgonnette. Il avait une douzaine de voix différentes, sifflait, chuintait, grinçait, sur chacun des angles, des fentes et des courbes du métal. Le dégivreur s'était arrêté en même temps que le moteur et le souffle de Leaphorn embuait rapidement le parebrise. Au dehors, il distinguait des zones blanches là où la neige chassée par le vent s'accumulait contre les rochers et les obstacles que formaient les genévriers. Les flocons étaient encore petits, mais il y en avait davantage qui traversaient le faisceau des phares, poussés par le vent. Quand cette succession de bourrasques serait passée viendrait peut-être une véritable tempête de neige. Et le besoin s'en faisait cruellement ressentir. Leaphorn attendait en pensant au bétail affamé, aux réservoirs vides et aux conséquences de la sécheresse ; il pensait à la longue journée qu'il avait eue, au corps de Cata allongé sur une table à l'hôpital BIA [1] de Black Rock, au docteur alors occupé à nettoyer le sable de la large plaie qui avait pratiquement sectionné la tête. Une hache, peut-être, ou une machette, manipulée avec une grande force. La cérémonie funéraire s'était

_____

(1) BIA : Bureau of Indian Affairs.

tenue dans l'heure qui avait suivi. D'abord une messe de funérailles dans la mission du village, puis la cérémonie de la Kiva * du Blaireau devant la tombe. Il avait regardé de loin, ayant l'impression d'assister en intrus à une cérémonie triste, privée et sacrée. Qui donc, se demanda-t-il soudain, allait être le Dieu du Feu pour Shalako maintenant que le Dieu du Feu était mort ? Leaphorn était certain qu'un autre Shulawitsi remplirait sans faillir son rôle de danseur pour le Conseil des Dieux * quand les cérémonies commenceraient. Il pensait à cela, et à l'endroit où George Bowlegs avait pu se réfugier dans cette nuit hostile, puis, brusquement, il se mit à penser que Shorty Bowlegs prenait bien trop de temps pour réapparaître sur le seuil de son hogan.

Leaphorn ouvrit la portière en faisant poids pour vaincre la force du vent, remonta le col de son blouson devant son visage, sortit et regarda le hogan. Il était complètement plongé dans l'obscurité. Etait-ce déjà le cas lorsqu'il était arrivé ? Leaphorn ne se souvenait que du faisceau de ses phares balayant l'entrée, de la silhouette figée dans cet éclair de lumière. Il en avait conclu qu'il s'agissait de Bowlegs sorti pour voir qui venait lui rendre visite par cette nuit affreuse. Mais maintenant, il n'y avait aucune lumière du côté de la porte faite de planches, aucune du côté de la petite fenêtre irrégulière que Bowlegs avait percée dans les rondins du mur exposé au sud-est. Se pouvait-il que Bowlegs soit rentré chez lui, ait soufflé sa lampe à pétrole et laissé son visiteur l'attendre, assis dans le froid ? Leaphorn pensa à la veille, se remémorant le Bowlegs amical qu'il avait vu : trop éméché pour comprendre ce que Leaphorn disait, ou pour lui

88

répondre de manière cohérente, mais qui, avec son large sourire humide, avait essayé de le faire asseoir, lui avait offert à boire, avait essayé de l'aider.

Leaphorn demeura un moment debout à côté de la voiture, les yeux fixés sur la masse sombre que dessinait le hogan, conscient des jurons stridents poussés par le vent, des fantômes malfaisants de mille générations de Navajos qui parcouraient la nuit. Puis il tendit le bras à l'intérieur de son véhicule. Il prit une lampe torche dans la boîte à gants et saisit son 30-30 qui était accroché en travers de la vitre arrière de la cabine. A trois mètres de la porte du hogan il s'arrêta.

– Ya-ta-hey, cria-t-il. Shorty Bowlegs, ya-ta-hey.

Le vent souleva un mélange de neige et de poussière autour du hogan, autour des pieds de Leaphorn. La porte en planches bougea, battant contre son châssis grossier. Il la regarda. Dans le pâle reflet des phares il la voyait à peine bouger. Il alluma la torche. La porte était faite de cinq planches verticales consolidées par une traverse de bois de deux centimètres et demi d'épaisseur sur dix de largeur. Elle était immobile dans la lumière jaune. Le vent reprit de plus belle, chuintant à travers le conduit à fumée du hogan et faisant entendre un chœur de voix furieuses dans les fentes et les interstices de ses rondins. Maintenant la porte bougeait. Vers l'extérieur puis vers l'intérieur, retenue par la clenche.

– Hé-ho, cria Leaphorn. Shorty ?

Autour du hogan, les voix du vent perdirent soudain en volume et en intensité, lui répondant par le silence. Leaphorn s'approcha du mur du hogan. Il introduisit une cartouche dans la chambre du

30-30, posa le canon du fusil sur son bras droit. De la main gauche il souleva la clenche et tira brusquement la porte vers lui. Le vent lui apporta son concours, ouvrant la porte d'un coup et la plaquant contre le mur de rondins.

A l'intérieur, rien ne bougeait. Le faisceau de la torche se réfléchit sur l'étain galvanisé d'un baquet, contre le mur du fond, éclaira un fouillis de casseroles et de provisions, et s'attarda sur les vêtements (un blue-jean d'adolescent, trois chemises, un morceau de tissu dont il n'aurait su dire de quoi il s'agissait, des sous-vêtements) qui étaient étalés sur la corde à linge du hogan. Derrière les vêtements, les ombres se déplaçaient sur le mur de bois brut. Y avait-il quelque chose là-bas ? Rien de visible. Avec sa torche, Leaphorn balaya l'intérieur du hogan dans le sens des aiguilles d'une montre. Elle éclaira trois couvertures vides, toutes en désordre, éclaira une vieille armoire métallique cabossée dont les tiroirs étaient ouverts, éclaira un lot de peaux de moutons attachées ensemble par une corde et s'arrêta enfin sur le bras d'un homme. Le bras gisait inerte sur le sol en terre ; le poignet sombre dépassait au bout d'une manche kaki, pas bleu foncé ; les doigts, dont les extrémités reposaient sur la terre, étaient détendus.

Une rafale de flocons de neige cingla Leaphorn au visage. A nouveau le vent se mit à hurler tout autour du hogan en un obligato de chuintements et de cris confondus. La torche éclairait maintenant des cheveux noirs, soigneusement séparés par une raie, avec une tresse attachée par une ficelle, un bandeau d'étoffe qui avait été d'un rose fané mais

90

était maintenant teinté, tout comme les cheveux en dessous, par un sang rouge et frais.

Sans s'en rendre compte Leaphorn avait retenu sa respiration. Maintenant qu'il avait trouvé Shorty Bowlegs, il laissa ses poumons se vider avec un bruit qui ressemblait un peu à un soupir. Il resta là un moment à regarder attentivement au-delà du hogan, à scruter tout autour de lui les formes sombres des pins et des genévriers secoués par le vent, à fouiller du regard les dépendances. A écouter. Mais le vent rendait cette écoute vaine.

Il pénétra dans le hogan et s'accroupit. Il regarda d'abord le visage qui avait été celui de Bowlegs puis il scruta le hogan. Shorty Bowlegs avait succombé à un coup porté par derrière à l'aide d'un objet lourd et tranchant. La même arme que celle qui avait tué Cata ? Maniée par cette silhouette à la chemise bleue (celle d'un homme, pensa-t-il, sans savoir pourquoi) qu'il avait vue sur le seuil. Et où était cet homme, maintenant ? Il n'avait pas plus de cinq minutes d'avance, mais avec le vent, la neige, la poussière et l'obscurité qui ne permettaient de se servir ni de ses yeux ni de ses oreilles, il pouvait tout aussi bien se trouver sur une autre planète. Leaphorn se maudit. Il avait vu l'assassin et il était resté à rêvasser dans la fourgonnette tandis que l'homme s'éloignait tranquillement.

D'un doigt investigateur il toucha le sang qui avait coulé sur les cheveux de Bowlegs. Visqueux. Il avait été frappé trente minutes au moins avant l'arrivée de Leaphorn. L'assassin avait apparemment d'abord tué Bowlegs, puis il avait fouillé le hogan. Etait-il venu tuer Bowlegs et, après l'avoir fait, s'était-il mis à fouiller parmi les affaires de la

91

famille ? Ou était-il venu pour fouiller et avait-il tué Bowlegs afin de pouvoir le faire ? Et pour trouver quoi ? Tout ce que Bowlegs avait accumulé en environ quarante ans d'existence jonchait le sol du hogan. En additionnant le tout (les vêtements, les provisions, ses outils de berger) cela pouvait atteindre cinq cents dollars, à l'état neuf, selon les prix exagérés pratiqués aux comptoirs d'échange. Mais tout était vieux, usé. Aux yeux d'un homme blanc, pensa Leaphorn, Bowlegs valait peut-être une centaine de dollars. Tel serait, pour le monde des hommes blancs, l'évaluation de sa vie. Et quelle serait cette évaluation pour les Navajos ? Le Dineé était plus exigeant : chaque homme devait trouver sa place dans l'harmonie des choses. Mais en cela aussi Shorty Bowlegs avait échoué.

Leaphorn ressortit, alla couper les phares de la voiture et se mit en chasse, décrivant des cercles concentriques de plus en plus grands. Il avançait lentement, conscient du fait que l'assassin, quoique ce fût peu probable, pouvait se trouver encore dans les parages. Il cherchait les traces que pouvait avoir laissées un homme, un cheval ou un véhicule n'utilisant sa torche qu'avec parcimonie aux endroits où le vent ne les avait peut-être pas effacées. Il ne trouva rien de probant. Les pneus de sa propre voiture étaient visibles en plusieurs endroits là où les bourrasques ne les avaient pas fait disparaître mais aucun autre véhicule ne s'était apparemment approché du hogan récemment. Ayant établi ce fait, il inspecta minutieusement l'enclos, situé dans un arroyo * peu profond en-dessous des hogans, qui avait servi d'écurie aux Bowlegs. Il avait été utilisé pour garder deux chevaux. Les traces de l'un d'eux

92

mal ferré, n'avaient été laissées que quelques heures plus tôt. Le second n'avait apparemment pas séjourné dans le corral depuis une journée environ. Leaphorn s'accroupit sur la terre argileuse, le dos tourné au vent glacé pour se protéger, réfléchissant à ce que cela pouvait signifier.

Le vent se déchaînait puis se calmait, tantôt fouettant les branches de genévriers et les agitant furieusement, tantôt s'apaisant dans une accalmie presque silencieuse. Leaphorn coupa la lumière et demeura immobile. Le vent lui avait apporté un bruit incongru. Il tendit l'oreille. Ça s'était perdu maintenant dans les mille bruits de la tempête. Puis il l'entendit à nouveau. Une clochette. Puis une autre, légèrement plus grave. Et une troisième au tintement faible. Leaphorn se déplaça rapidement vers un genévrier noueux à peine visible dans l'obscurité, se rapprochant du bruit. Il se redressa derrière l'arbre, attendit. Les clochettes se rapprochèrent, accompagnées du bruit d'un cheval. La forme indistincte d'une chèvre blanche passa à côté de l'arbre dans un tintement, suivie par un flot de chèvres éparses et par une masse presque compacte de moutons. Enfin arriva le cheval sur lequel une petite silhouette était recroquevillée pour lutter contre le froid.

Leaphorn sortit de derrière le genévrier.

– Ya-ta-hey, cria-t-il. Cecil ?

9

Presque deux heures plus tard Leaphorn atteigni
Zuñi et confia Cecil à un jeune frère franciscain de
l'école Saint-Antoine. Il avait annoncé à Cecil avec
autant de ménagement que possible que quelqu'un
avait frappé son père à l'arrière du crâne et que
Shorty Bowlegs était mort. Il avait appelé la Police
d'Etat du Nouveau Mexique à Gallup pour qu'il
enregistrent le crime, et la personne à qui il avai
parlé lui avait promis d'en informer la Police de
Zuñi et le Bureau du Shérif du Comté McKinley
Ainsi la procédure normale serait appliquée, quand
bien même Leaphorn avait la certitude que
l'assassin de Shorty Bowlegs ne serait pas asse
stupide pour se faire prendre à un barrage routie
Ces obligations officielles une fois remplies, i
avait aidé Cecil à desseller le cheval et à mettre le
moutons à l'abri dans l'enclos de branchages. Pui
il avait installé Cecil dans la voiture et, après avoi
mis le chauffage à fond, avait laissé tourner l
moteur, pendant qu'il allait récupérer dans l
hogan les couvertures du garçon ainsi que de
vêtements de rechange. Il avait glissé l'unique che
mise, les trois paires de chaussettes de mauvais
qualité et les sous-vêtements dans un sac à provi
sions vide. Il avait passé le sac par la vitre de l
voiture.

— Je n'ai pas trouvé de pantalon.

– J'ai seulement celui que j'ai sur moi, avait répondu Cecil.

– Il y a autre chose que tu veux que je t'amène ?

Cecil s'était retourné pour regarder le hogan par-dessus son épaule. Leaphorn s'était demandé à quoi il pensait. Deux heures plus tôt, quand le garçon était sorti pour aller rassembler les moutons, cette forme arrondie représentait sa maison. La chaleur. Occupée par un homme qui, ivre ou pas, était son père. Désormais le hogan était glacé, lui était hostile, occupé non plus par Shorty Bowlegs mais par son fantôme : un fantôme qui, ainsi que le croyaient les Navajos, ne représentait que ce qu'il y avait de faible, de méchant et d'agressif dans la nature de son père.

– On devrait peut-être prendre les affaires de George, dit Cecil.

Il se tut un instant.

– Qu'est-ce que vous en pensez ? Est-ce qu'elles sont déjà au pouvoir du fantôme ? Et puis il y a ma boîte pour déjeuner. Vous pensez qu'il faut laisser tout ça ?

– Je vais les chercher. Et demain nous enverrons quelqu'un qui viendra s'occuper du corps et du hogan. Il n'y aura rien à craindre du fantôme.

– Seulement la boîte pour moi, dit Cecil. C'est tout ce que j'ai.

De retour dans le hogan, l'idée était venue à Leaphorn que cette mort allait entraîner pas mal de complications. Il n'y avait aucun parent pour s'occuper du corps, pour percer un trou dans le mur du hogan afin de permettre au fantôme de Shorty de partir pour son errance éternelle, pour clouer la porte afin d'avertir tout le monde que ce hogan était contaminé par la mort et, enfin, trouver le Chanteur qu'il fallait et lui faire exécuter le chant rituel qu'il fallait, de telle sorte que tous ceux qui avaient pu d'une façon ou d'une autre être touchés ou menacés par cette mort puissent être guéris. Plus important encore, il n'y avait pas de famille * à proximité pour accueillir les survivants : pour noyer un enfant dans l'amour de ses oncles, de ses tantes et de ses cousins, pour donner à Cecil la sécurité d'un nouveau hogan et d'une nouvelle famille. La famille à laquelle il appartenait de l'accueillir devait se trouver sur la Réverse de Ramah. Elle devait faire partie de la famille de Shorty. Car puisque la mère de Cecil ne valait rien, il serait préférable de le confier à la famille de la mère de son père. A la maison chapitrale de Ramah, ils sauraient où les trouver. Et pour l'heure, il restait à Leaphorn la tâche de retrouver le frère aîné de Cécil.

Dans le hogan, il avait été surpris de ne trouver pratiquement aucune trace de George. Une chemise de rechange, trop en lambeaux toutefois pour qu'il la porte, et diverses choses abandonnées de la même façon. C'était tout. Leaphorn rapprocha ce manque d'objets appartenant à George de l'absence du deuxième cheval dans l'enclos, et obtint cette conclusion évidente : George était revenu au hogan le jour où le cheval avait laissé ses dernières traces dans l'enclos. C'était la veille, le jour qui avait suivi la mort de Cata. George était venu chercher ses vêtements de rechange et le cheval. Il avait dû venir peu de temps après la première visite infructueuse que Leaphorn avait rendue à Shorty.

En se dirigeant vers la porte du hogan, Leaphorn avait vu ce qui devait être la boîte de Cecil. Il s'agissait de l'un de ces trucs en fer blanc que l'on trouve dans les magasins où tout est à prix très bas. Elle était peinte en jaune et décorée d'un Snoopy sur sa niche. Elle était ouverte, par terre à côté du mur du hogan. Leaphorn la ramassa.

A l'intérieur de la boîte il y avait une douzaine de papiers auparavant pliés avec soin, maintenant pêle-mêle parce que quelqu'un y avait fouillé. Celui du dessus était couvert d'exercices de soustraction au crayon, et l'appréciaton « Bien ! » y avait été portée à l'encre rouge. Le suivant était intitulé « Paragraphes » dans le coin supérieur gauche. Une étoile dorée avait été collée juste au-dessus.

Leaphorn replia les papiers. En dessous, il découvrit une petite balle bleue à laquelle était attaché un élastique, ainsi qu'une bougie de voiture, un petit aimant en forme de fer à cheval, une boule de fil de cuivre enroulée soigneusement autour d'un bout de bois, une petite bouteille ayant contenu de l'aspirine, à demi remplie de ce qui ressemblait à des plombages en fer sales, une roue de voiture miniature et un objet blanc légèrement plus gros que le pouce de Leaphorn. C'était la fine silhouette d'une taupe sculptée dans le bois d'un cerf. Deux étroites lanières de cuir maintenaient à son sommet une minuscule pointe de flèche en silex. C'était de toute évidence une figurine fétiche appartenant probablement à l'une des fraternités de guérisseurs Zuñi. En tous cas, elle n'était pas navajo.

Dans la fourgonnette, Cecil regardait par le pare-brise. Le garçon prit la boîte sans un mot et la posa sur ses genoux. Ils passèrent devant le hogan en cahotant ; les yeux de Cecil étaient toujours fixés droit devant lui.

– Je vais te déposer à la Mission Saint-Antoine ce soir, lui dit Leaphorn. Après, je trouverai George et vous ferai partir d'ici tous les deux. Je vais vous emmener dans la famille de votre père, sauf si tu penses qu'il y a un autre endroit qui vous conviendrait mieux.

– Non, répondit Cecil. Il n'y a pas d'autre endroit.

– Où as-tu eu ce fétiche ?

– Quel fétiche ?

– Cette petite taupe.

– C'est George qui me l'a donnée.

– Comment est votre deuxième cheval ?

– Le deuxième ? C'est un bai. Un grand cheval balzan.

– Quand George est venu chercher le cheval, qu'est-ce qu'il a pris d'autre ?

Cecil ne répondit pas. Ses mains serraient la boîte. Entre les doigts du garçon, Leaphorn pouvait déchiffrer une inscription : « Le bonheur, c'est une ficelle de cerf-volant solide [1]. »

– Ecoute, insista Leaphorn. Si ce n'est pas lui qui a pris le cheval, alors qui est-ce ? Et qui a pris ses affaires ? Tu ne crois pas que maintenant il faut que nous le trouvions ? Tu ne crois pas qu'il serait plus en sécurité ? Pour l'amour de Dieu, réfléchis-y une minute.

Le véhicule secoué de cahots peinait pour escalader en seconde la pente qui dominait le

---

(1) Charlie Brown, un des protagonistes de la célèbre bande dessinée de Charles M. Schulz intitulée « Peanuts » (à laquelle appartient également Snoopy) rencontre bien des déboires avec ses cerfs-volants.

hogan. Une nouvelle bourrasque hurla le long des vitres. La neige s'était arrêtée de tomber et la voiture était noyée dans un déferlement de poussière tourbillonnante. Cecil se mit soudain à trembler. Leaphorn posa la main sur l'épaule du garçon. Il se sentit envahi d'une violente vague de colère.

– Il est venu prendre le cheval hier soir, dit Cecil d'une toute petite voix. Il faisait pratiquement nuit, c'était après que j'aie parlé avec vous. Mon père il dormait alors je suis sorti pour jeter un coup d'œil aux moutons et, quand je suis rentré le fusil n'était plus là et j'ai trouvé son mot.

Cecil continuait à regarder droit devant lui et ses mains serraient si fort la boîte en métal que ses phalanges en devenaient blanches.

– Et je suppose qu'il a pris son couteau, ce qu'il rangeait dans le sac en cuir qu'il avait fabriqué, et un morceau de pain.

Ayant terminé cet inventaire, Cecil se tut.

– Où a-t-il dit qu'il allait ?

– Son mot est là-dedans avec mes affaires, répondit Cecil.

Il ouvrit la boîte et chercha dans les papiers.

– Je croyais l'avoir mis là-dedans, dit-il en refermant la boîte. De toutes façons, je m'en souviens presque par cœur. Il disait qu'il ne pouvait pas m'expliquer en détail mais qu'il partait à la recherche de kachinas. Il disait qu'il fallait qu'il leur parle. Il ne savait pas prononcer le nom de l'endroit. Il a essayé de me le dire mais je me rappelle seulement que ça commence par un « K ». Et au moment de s'en aller il m'a dit qu'il allait être parti plusieurs jours pour arriver à l'endroit où se trouve ce kachina et régler cette affaire qui l'embêtait. Et s'il n'y parvenait pas là-bas, alors il faudrait qu'il aille à Zuñi pour Shalako et après il reviendrait. Et il a dit de ne pas s'inquiéter pour lui.

– Est-ce qu'il a parlé d'Ernesto Cata ?

– Non.

– Ou bien laissé entendre où il allait pour trouver ce kachina ?

– Non.

– C'est tout ce qu'il t'a dit ?

Cecil ne répondit pas. Leaphorn le regarda. Les yeux du garçon étaient remplis de larmes.

– Non, dit Cecil. Il m'a dit de m'occuper de Papa.

10

Mercredi 3 décembre.
10 h 00.

Joe Leaphorn avait du mal à se concentrer. Il lui semblait qu'un crime, par exemple le meurtre de Cata, pouvait être considéré comme un tout : comme une unité à l'intérieur de laquelle un acte de violence avait un début et une fin, une cause et un effet. Mais deux crimes liés par le temps, le lieu, les acteurs et, par-dessus tout, le mobile, cela représentait quelque chose de plus complexe. L'unité devenait une séquence, le point une ligne, et les lignes avaient tendance à s'allonger, à mener à différents endroits, à partir dans différentes directions. Un-deux devenait un-deux-trois-quatre... A moins, bien sûr, que les morts du jeune Zuñi et du Navajo alcoolique ne constituent le total d'une addition. Etait-ce possible ?

C'était sur cette question que Leaphorn tentait de se concentrer. Est-ce que les meurtres de Cata et de Shorty Bowlegs formaient un tout ? Ou faisaient-ils partie d'un ensemble plus vaste ? Et si la séquence était incomplète, dans quelle direction partait la ligne reliant Cata et Bowlegs ? Cette question requérait chaque parcelle de son attention. Il en avait mal à la tête.

Mais il y avait des choses qui l'empêchaient de se concentrer. L'agent du FBI qui était en train de parler. Une mouche qui, une fois de plus, faisait sa ronde dans le bureau du Poste de Police de Zuñi. Et, au dehors, il y avait les gémissements bruyants d'un camion qui roulait sur l'asphalte de la NM53 et avait des problèmes évidents de boîte de vitesse. Leaphorn s'aperçut qu'il était en train de penser au défunt Ernesto Cata qui, comme le disaient les Zuñis, avait atteint le terme de son chemin après treize années de vie, avait personnifié le Dieu du Feu, avait été enfant de chœur à l'Eglise Saint-Antoine, chrétien baptisé, communiant au sein de l'Eglise Catholique, membre d'une fraternité religieuse Zuñi né dans le Clan du Blaireau, qui serait devenu presque à coup sûr l'un des « hommes importants » de la religion Zuñi si quelqu'un, pour une raison inconnue, n'avait pas jugé opportun de le tuer.

La voix de l'agent O'Malley s'imposa à la

101

conscience de Leaphorn : il leva les sourcils pour simuler l'attention en regardant l'homme du FBI.

– ... interroger suffisamment de gens, était en train de dire O'Malley. On se rend le plus souvent compte que quelqu'un finit par se souvenir d'avoir vu quelque chose d'utile. C'est une question de patience...

L'attention de Leaphorn se relâcha à nouveau. Pourquoi, se demandait-il maintenant, les agents du FBI étaient-ils si souvent exactement pareils à O'Malley ? Il vit que l'homme blanc qui était assis derrière O'Malley avait remarqué son jeu de sourcils, l'avait interprété exactement pour ce qu'il était, et que sa bouche se tordait en un large sourire amical empreint de sympathie. Cet homme avait une cinquantaine d'années, une tignasse de cheveux jaunes et un visage rose couvert de taches de rousseur avec des bajoues qui le faisaient ressembler à un chien de chasse. O'Malley l'avait présenté comme « l'agent Baker ». Ainsi que O'Malley l'avait souhaité, cela donnait l'impression que Baker était lui aussi un agent du FBI. Mais il était déjà venu à l'idée de Leaphorn qu'en fait Baker n'était pas un agent du Bureau Fédéral d'Investigations. Il ne leur ressemblait pas. Ses dents étaient en mauvais état, mal plantées et jaunies, il était habillé avec une décontraction négligée, et il y avait quelque chose en lui qui suggérait une intelligence vive, prompte et curieuse. La grande expérience que Leaphorn avait du FBI lui avait appris que n'importe laquelle de ces trois caractéristiques excluait l'appartenance à cet organisme. Les gens du FBI semblaient tous être des O'Malley : bien lavés, bien soignés, bien habillés, capables de travailler sans en être empêchés par un degré d'intelligence particulier. O'Malley parlait toujours. Leaphorn le regarda, s'interrogeant sur la politique suivie par le FBI. Où donc allaient-ils dénicher tous ces O'Malley ? Il se représenta soudain un bureau du Ministère de la Justice à Washington dans lequel un rond-de-cuir envoyait des convocations enjoignant à tous les athlètes et tambour-majors mâles des universités USC, Brigham Young, Notre-Dame et de l'Etat d'Arizona de se faire couper les cheveux et de se présenter dans les plus brefs délais. Il réprima un sourire. Puis il s'aperçut que ce n'était pas la première fois qu'il voyait Baker. Il l'avait vu en Utah, dans le bureau du shérif du Comté de San Juan, à la suite des remous consécutifs à une autopsie qui avait révélé qu'un Navajo participant à un rodéo était mort d'une overdose d'héroïne. Baker se trouvait là et, avec son air amusé et négligé, il avait tendu au shérif les papiers montrant qu'il travaillait au Contrôle des Stupéfiants pour le compte du Bureau des Stupéfiants et des Drogues Dangereuses du Ministère de la Justice. Il y avait bien longtemps de cela. Par la suite, il avait été question d'arrestations opérées à Flagstaff, et il y avait eu une série de rumeurs vagues telles qu'il en circule parmi les représentants de la loi, des rumeurs laissant entendre que M. Baker avait réussi un joli coup de filet, qu'il était plus malin qu'on ne pouvait le penser et, semblait-il, plus impitoyable également.

Ainsi Baker était aux Stupéfiants. L'esprit de Leaphorn se mit aussitôt à chercher où situer cette nouvelle information et à en découvrir les implications. Un agent des Stupéfiants venait s'occuper de la mort d'Ernesto Cata et de Shorty Bowlegs. Pourquoi ? Et pourquoi O'Malley essayait-il de dissimuler ce fait aux policiers locaux ? De prime abord, les deux réponses étaient évidentes. Baker était ici parce que quelqu'un au niveau fédéral soupçonnait qu'il y avait une histoire de drogues illégales mêlée à toute cette affaire. Et O'Malley n'avait pas présenté Baker pour ce qu'il était parce qu'il ne tenait pas à ce que la Police Navajo, la Police Zuñi, la Police de l'Etat du Nouveau Mexique ou le Bureau du Shérif du Comté McKinley sachent qu'un agent des Stupéfiants travaillait sur place. Mais ces réponses soulevaient de nouvelles questions. Qu'est-ce qui avait fait soupçonner aux fédéraux qu'il pouvait y avoir une histoire de drogue ? Et qui avait décidé que les polices locales devaient être tenues à l'écart ? Chez lesquelles pensaient-ils qu'il pourrait y avoir des fuites ?

Leaphorn reporta son attention sur l'agent du FBI.

– ... s'il existe des preuves matérielles susceptibles de nous fournir une piste, nous les trouverons, disait celui-ci. Il en existe toujours, si petites soient-elles. Mais vous, ici, connaissez cette région bien mieux que nous, et vous connaissez les gens du coin...

O'Malley était un bel homme à la mâchoire carrée et au visage allongé dont la pâleur malsaine d'homme blanc était cachée par un hâle, et le soleil avait rendu ses cheveux blonds plus blonds encore ; ses lèvres, ses dents blanches et les muscles de ses joues composaient une bouche énergique. Etait-il suffisamment naïf pour s'imaginer qu'aucun des hommes qui se trouvaient dans la pièce ne savait que Baker était aux Stupéfiants ? Ou avait-il assez d'arrogance pour se moquer qu'ils soient conscients ou non de cette insulte ?

Leaphorn regarda Pasquaanti dont les yeux étaient fixés sur O'Malley avec un intérêt placide et impénétrable. Le visage du Zuñi ne lui apprit rien. Highsmith était vautré sur sa chaise, occupé à tripoter sa casquette d'uniforme de policier de l'état, jambes allongées devant lui ; Leaphorn ne pouvait voir ses yeux. Le vieux visage sévère d'Orange Naranjo était tourné vers la fenêtre. Une vague trace de colère parmi ses rides fit penser à Leaphorn que Naranjo aussi se souvenait de qui était Baker. Le rôle de Naranjo, tel que le lui avait assigné O'Malley, consistait à couvrir les terres non Navajo qui bordaient la réserve Zuñi, de parler avec les habitants des ranches, les équipes de voirie, les ouvriers qui travaillaient à la pose des lignes téléphoniques, tous ceux qui avaient pu remarquer quelque chose. Leaphorn se demanda avec quelle ardeur il allait s'en acquitter.

– Cela nous intéresserait d'apprendre si des inconnus ont été vus, ou s'il y a eu quelque chose d'anormal, par exemple un avion léger volant à basse altitude, est-ce que je sais...

– Ouais, fit Naranjo.

– Dans une région aussi déserte, les gens repèrent les inconnus, poursuivit O'Malley.

Leaphorn avait jeté un coup d'œil à Naranjo, curieux de savoir comment il allait réagir à cette ineptie.

– Ouais, avait dit Naranjo d'un air quelque peu surpris.

O'Malley regardait maintenant Leaphorn. Il était déjà apparu clairement que l'agent du FBI n'était pas satisfait du lieutenant Leaphorn. Leaphorn n'aurait pas dû s'attarder dans le hogan des Bowlegs après avoir trouvé le corps de Shorty. Il n'aurait pas dû y retourner ce matin, après le lever du jour, dans sa quête infructueuse de traces de pneus, d'empreintes de pas ou d'indices que le vent aurait pu laisser. Il aurait dû s'en aller sans rien toucher et ne pas gêner le travail des experts. Rien de tout cela n'avait été exprimé, mais ça avait été sous-entendu dans les questions dont O'Malley avait entrecoupé le compte rendu concis que Leaphorn avait fait de ce qui s'était passé au hogan des Bowlegs.

– Baker et moi allons maintenant nous rendre chez les Bowlegs pour voir s'il y a des empreintes ou des éléments sur lesquels le labo puisse travailler. Cela nous serait utile, Lieutenant, si vous pouviez aller trouver les gens de votre race qui habitent dans les environs et voir ce que vous pouvez apprendre. Un peu comme ce que va faire Naranjo. O.K. ?

– O.K., répondit Leaphorn.

O'Malley s'arrêta sur le seuil.

– Ça nous intéresserait énormément de pouvoir parler à George Bowleg, dit-il à Leaphorn.

Le silence qui s'installa après le départ de Baker et de O'Malley dura peut-être dix secondes. Highsmith se leva, s'étira et ajusta sa casquette à visière.

– Et mer-de, dit-il. Faut que j'aille reglisser ma vieille carcasse derrière le volant et jouer les garçons de course pour le Effy-Bee-Eye [1].

_____

(1) Effy-Bee-Eye : épellation à l'indienne des initiales FBI que l'on pourrait traduire par Abeille à l'Œil Perçant.

Il adressa un sourire à Naranjo.

– Dans une région déserte comme ça, les gens repèrent les inconnus. Je parie que ça ne vous était jamais venu à l'idée, hein, Orange ?

– Oh, répondit Naranjo avec une grimace, il gagne sûrement à être connu.

Highsmith tendit la main vers le bouton de la porte puis s'arrêta.

– Est-ce qu'il y en aurait parmi vous, les gars, qui sauraient pourquoi les Stupéfiants viennent fourrer leur nez là-dedans ?

Leaphorn se mit à rire.

– Vous voulez dire, demanda Naranjo, si l'on excepte le fait que Baker est un agent du Trésor ?

– Je ne savais pas trop quoi penser de Baker, dit Pasquaanti. Il n'a pas l'air d'un agent du FBI.

Il se tut un instant puis poursuivit.

– Et maintenant, je me demande pourquoi O'Malley ne nous a pas dit qui c'était.

– Ils ont découvert le traité que vous autres Zuñis venez de signer avec les Turcs pour devenir les producteurs exclusifs d'opium, dit Highsmith. Ils ne veulent pas que la Police Zuñi sache qu'ils mènent une enquête.

– C'est bien ce que mon Papa m'avait toujours dit, renchérit Pasquaanti. Fais jamais confiance à ces sales Indiens. C'est pas vrai, Lieutenant ?

– Absolument exact, répondit Leaphorn. Quand j'étais gosse, il y avait un devise suspendue dans le hogan de ma grand-mère. Elle disait : Méfie-toi de Ceux-qui-Ont-la-Peau-des-Fesses-Rouge.

Naranjo coiffa son chapeau qui, en dépit de la saison, était en paille.

– Quelqu'un aurait dû prévenir Custer, dit-il.

Highsmith était déjà dehors.

– A propos de cette devise, là, cria-t-il à l'adresse de Leaphorn. Comment écrivait-elle Ceux-qui-Ont-la-Peau-des-Fesses-Rouge en Navajo ?

– Avec un C majuscule, répondit Leaphorn.

Dehors, le soleil brillait dans le ciel d'un bleu foncé. L'air était calme, froid et très sec.

– On dirait que le temps s'est un peu adouci, dit Highsmith. Hier soir, j'ai bien cru que l'hiver allait quand même finir par arriver.

– Je n'aime pas ces hivers tardifs, intervint Naranjo. Il fait beaucoup trop sec et puis quand ça se décide vraiment à venir, alors là en général c'est une vraie saloperie.

Pasquaanti était appuyé au montant de la porte. Naranjo monta dans sa voiture.

– Bon, dit-il, je crois bien que je vais aller voir si je peux trouver...

Le reste de sa phrase fut couvert par le rugissement du moteur de Highsmith lorsque celui-ci effectua une marche arrière en braquant puis s'élança à toute allure sur la Route 53 du Nouveau Mexique.

Leaphorn embraya et l'imita. Il prit la direction de l'est, allant vers le croisement de la route de Ojo Caliente, vers la communauté qui se donnait le nom de Toison de Jason. Il avait parlé à O'Malley et à Pasquaanti du mot que George Bowlegs avait laissé à Cecil. Ça n'avait pas intéressé O'Malley. Pasquaanti avait eu l'air de réfléchir, mais il avait fini par secouer la tête, avait déclaré qu'il avait entendu dire que George Bowlegs était un gosse un peu fou, mais il n'avait pas daigné se montrer plus explicite.

Leaphorn décida qu'il allait parler de ce mot à Susanne, puis en discuter avec Isaacs, espérant que cela ferait revenir à leur mémoire un élément infime et oublié qui pourrait lui indiquer la direction que Bowlegs avait prise. Ses pneus à larges sculptures spécialement adaptés à la boue soulevèrent une gerbe de gravillons sur la route secondaire puis un panache de poussière lorsqu'il emprunta le chemin de terre cahotant qui conduisait à la communauté. Il se disait que pendant que Bowlegs essayait de trouver son kachina, il y avait presque à coup sûr quelque chose qui essayait de trouver Bowlegs. Joe Leaphorn, ce qui ne lui arrivait presque jamais, se dépêchait maintenant.

11

Mercredi 3 décembre,
12 h 15.

Un jeune homme dont la peau pelait, brûlée par le soleil, et dont les cheveux blonds étaient noués sur la nuque, travaillait avec un petit chalumeau à l'intérieur de l'ancien bus de ramassage scolaire appartenant à la communauté. Le bruit de la flamme avait couvert celui qu'avait fait la fourgonnette de Leaphorn en s'arrêtant, et le jeune homme fut visiblement surpris lorsqu'il vit le policier.

– Elle est occupée, dit-il à Leaphorn. Je ne pense pas qu'elle soit dans le coin. Qu'est-ce que vous lui voulez ?

– C'est personnel, dit doucement Leaphorn. A moins, bien sûr, que vous ne soyez un ami de George Bowlegs. Nous essayons de trouver où le jeune Bowlegs s'est enfui.

Derrière Cheveux-Noués, la couverture masquant la porte du hogan du fantôme d'Alice Madman bougea. Un visage apparut, regarda Leaphorn, disparut. Un instant plus tard, Halsey écarta la couverture et sortit.

– Vous êtes un flic, dit Cheveux-Noués.

– Comme c'est écrit là, répondit Leaphorn en désignant du bras l'écusson de la Police Navajo sur la portière de sa voiture, je suis un poulet navajo.

L'expression employée par Halsey l'avait amusé et il prononça ces mots suffisamment fort pour que celui-ci puisse les entendre.

– Ya-ta-hey, dit Halsey. Je suis désolé mais le gosse que vous recherchez n'est pas revenu.

– Alors dans ce cas, je vais juste discuter un petit peu encore avec Susanne pour voir si elle se rappelle quelque chose qui pourrait m'être utile.

– Elle ne se rappelle rien, affirma Halsey. On vous préviendra s'il se passe quelque chose. Ce n'est pas la peine de vous faire perdre votre temps.

– Ça m'est égal, dit Leaphorn. C'est toujours mieux que de travailler. Qu'est-ce que vous réparez dans ce bus ?

La question était adressée à Cheveux-Noués. Celui-ci regarda Leaphorn.

– Un siège branlant, répondit Halsey.

– Ça alors, s'étonna Leaphorn. Vous le soudez

au lieu de mettre des boulons ? J'aimerais voir comment vous faites ça.

Il avança vers la porte du bus.

Cheveux-Noués bloqua l'entrée, sortit ses mains de dessous la bavette de sa salopette et les laissa pendre le long de son corps. Leaphorn s'arrêta.

– Je suis plutôt du genre têtu, dit-il à Halsey. La seule chose que je veuille ici, c'est parler à Susanne et voir si nous pouvons découvrir un moyen de trouver ce garçon. Mais si Susanne n'est pas là, je vais tuer le temps en jetant un petit coup d'œil à droite et à gauche...

Il regarda Cheveux-Noués.

– ... en commençant par ce bus, dit-il d'une voix qui était restée douce.

– Je crois qu'elle est du côté de l'éolienne, intervint Halsey. Je vais vous y conduire.

Le chemin descendait pendant environ cent cinquante mètres, atteignait un lit de rivière étroit dont il franchissait le fond de sable et de galets pour se diriger vers le flanc de la mesa d'où Leaphorn avait observé la communauté deux jours auparavant. Juste au pied de la mesa, l'eau qui suintait par intermittence avait créé une zone marécageuse. Des gens à qui cette terre avait été attribuée comme pâturage avaient creusé un puits peu profond et installé une éolienne qui permettait de faire couler un mince filet d'eau dans un abreuvoir à moutons. A côté de l'abreuvoir, un olivier sauvage portait une guirlande de chemises, de jeans, de salopettes et de sous-vêtements qui séchaient. Susanne était assise sous l'ombre de l'arbre et les regardait approcher.

– Vous l'avez trouvé ? Il est rentré chez lui ?

– Non. J'espérais que nous pourrions tout

reprendre depuis le début et que quelque chose d'utile vous reviendrait peut-être.

– Je ne crois pas qu'il y ait autre chose qui puisse me revenir, dit-elle en secouant la tête. Je ne crois pas qu'il m'ait dit quoi que ce soit d'autre que ce que je vous ai dit lundi.

– Je vous l'avais bien dit, insista Halsey.

Leaphorn ne lui prêta aucune attention.

– Vous m'avez dit que George vous avait demandé si vous connaissiez la région Zuñi. Pouvez-vous revenir plus en détail sur cette partie de votre conversation ?

Derrière lui, Halsey se mit à rire.

– Non, dit-elle en regardant Halsey derrière Leaphorn. Vraiment, je ne peux pas. Je me souviens seulement qu'il m'a demandé si j'y connaissais quelque chose, et je lui ai répété le peu que Ted m'avait appris. Si je pouvais vous aider, je le ferais volontiers.

– Bien, conclut Halsey. Venez, monsieur le policier navajo, nous repartons.

Leaphorn se retourna vers lui. Halsey se tenait sur le chemin, les mains dans les poches de la veste de treillis qu'il portait, l'air amusé et insolent. C'était un homme imposant, grand de taille et aux épaules puissantes. Leaphorn laissa sa colère transparaître dans sa voix.

– Je ne le répèterai pas. Elle et moi allons discuter un moment sans que vous nous interrompiez. Nous pouvons parler ici, ou nous pouvons aller dans le bureau du shérif à Gallup. Et si nous allons à Gallup, vous venez avec nous de même que cette carcasse de biche qui ne devrait pas se trouver là. Etre en possession d'une carcasse de cervidé

112

non marqué quand la chasse n'est pas ouverte peut vous coûter environ trois cents dollars et une peine de prison ferme. Après quoi vous irez à Window Rock expliquer au Conseil Tribal ce que vous pouvez bien fabriquer sur les terres navajo sans autorisation.

– Ces terres appartiennent au domaine public, dit Halsey. Nous sommes en dehors de la réserve. Elles appartiennent au Bureau de la Répartition des Sols.

– Nos cartes indiquent qu'elles se trouvent sur la réserve, reprit Leaphorn. Mais vous pourrez en discuter avec les autorités. Quand le shérif de Gallup en aura fini avec vous.

– C'est bon, capitula Halsey.

Son regard se posa sur Susanne derrière Leaphorn, un long regard mauvais ; il tourna les talons, descendit dans la ravine et s'éloigna d'un pas vif en direction de la communauté.

– Mais de toutes façons, je ne me souviens de rien d'autre, dit Susanne qui suivait Halsey des yeux en se mordant la lèvre inférieure.

Leaphorn appuya sa hanche contre la paroi abrupte de l'arroyo derrière lui et regarda Halsey jusqu'à ce qu'il ait disparu.

– Comment pourrait-on le retrouver ? ajouta-t-elle. Ou il est parti pour de bon, ou il retournera bientôt chez lui. Je ne vois pas l'intérêt de se lancer à sa poursuite. J'ai pensé à ce que vous m'avez dit sur le froid qu'il va faire bientôt.

Elle lui jeta un regard de défi.

– Je ne suis pas du tout persuadée que George va mourir de froid. Si les renards, les coyotes et compagnie ne meurent pas de froid, je suis bien sûre que George non plus. Lui aussi c'est son milieu naturel. Tout ce que vous m'avez raconté, c'était des blagues, hein ? Histoire de me faire parler de lui ?

— Je voulais que vous me parliez de lui, c'est vrai, acquiesça-t-il. Et si j'en crois ce qu'on m'a dit, George est intelligent et capable de se débrouiller. Mais onze personnes sont bel et bien mortes de froid l'hiver dernier. Des gens âgés, un malade et un homme qui était tombé de cheval, mais aussi des adultes robustes et en bonne santé. Parce qu'il y avait trop de neige, qu'il faisait trop froid, qu'ils étaient trop loin d'un abri.

— Je parie qu'ils étaient saouls.

— D'accord, dit Leaphorn en riant. Si vous aviez vraiment parié, je serais obligé de reconnaître que vous auriez gagné. Trois d'entre eux étaient saouls. Je ne m'inquiéterais pas pour George s'il avait de bonnes réserves de nourriture. Pris dans une tempête de neige il sera capable d'entretenir un feu s'il ne souffre pas de la faim.

— Il trouvera de quoi manger. C'est lui qui nous a apporté cette bête. Et des chasseurs de cerf meilleurs que lui, il ne doit pas y en avoir beaucoup. Tout jeune, c'était déjà lui qui ramenait la viande pour sa famille. Et il sait absolument tout sur ces animaux-là.

— Quoi, par exemple ?

— Que... je ne sais pas. Qu'est-ce que c'est déjà qu'il m'a dit ?

Lorsqu'elle se rappela, elle eut un geste nerveux des mains.

— Que par exemple les cerfs ont les yeux tellement sur le côté de la tête qu'ils voient bien mieux que nous ce qu'il y a derrière eux. Ils voient tout sauf juste derrière eux. Mais ensuite il m'a dit

qu'ils ne voyaient pratiquement pas les couleurs et...
qu'est-ce qu'il m'a dit d'autre ?... ils ont du mal à
distinguer les formes sur le côté parce qu'ils ne
voient pas aussi en relief que nous. Mais ils perçoi-
vent mieux que nous des choses comme les mouvements très rapides et les reflets... mais surtout en
deux dimensions. Il m'a raconté qu'un jour il s'était
trouvé face à face avec deux cerfs à peu près à
soixante-quinze mètres de distance. Il était immobile
et ils le regardaient. Et pour essayer, il a ouvert la
bouche. Sans parler, ni rien. Il a seulement ouvert la
bouche. Et ils ont détalé tous les deux.

– Ils ont une très bonne vue de loin, acquiesça
Leaphorn.

– Alors je pense que s'il a faim, il tuera un cerf,
conclut-elle.

– Avec quoi ?

– Il n'est pas passé prendre le fusil de son père ?

– Il vous a dit qu'il comptait le faire ?

Le visage de Susanne indiquait visiblement
qu'elle n'avait pas eu l'intention de le lui dire.

– C'est bien possible, répondit-elle lentement. Ou
alors c'est moi qui ai déduit qu'il allait le faire.

– Vous a-t-il dit autre chose sur la façon de
chasser le cerf ?

– Des tas de choses. Il apprenait à chasser à
Ernesto et Ernesto lui apprenait comment les Zuñis
chassent. Enfin, je crois bien, s'ils savent le faire. En
tous cas, ils parlaient souvent de chasse. Franchement, j'en ai appris bien plus que nécessaire,
conclut-elle avec une grimace.

– Quoi d'autre encore ? Si Bowlegs est capable
de se débrouiller pour se nourrir, il peut être utile

115

d'être au courant de tout ce qu'il sait sur la façon de chasser le cerf.

— Ils ne regardent pas en l'air. Alors si on peut grimper sur des rochers ou autre chose qui les domine, ils ne peuvent pas vous voir, poursuivit-elle en énumérant sur ses doigts. Ils ont un odorat très fin. (Un troisième doigt se dressa). Et l'ouïe très fine. (Elle se mit à rire). Ce qui fait que si vous vous trouvez sur votre rocher, ils ne vous voient pas mais ils vous sentent et vous entendent respirer. Mais quand le temps est extrêmement sec, leur odorat n'est plus aussi puissant et s'il pleut, s'il y a beaucoup de brouillard ou si le vent est violent, ils ne sentent pratiquement plus rien. Mais avec une humidité normale et une brise légère, ils vous sentent à plusieurs kilomètres. (Un quatrième doigt se dressa). Et ils ne prêtent guère d'attention aux sons naturels, ce qui signifie que si vous vous déplacez il faut le faire en suivant leurs traces car ils s'attendent à y entendre du bruit, et progresser par à-coups, petit à petit, (elle fit des gestes imprécis avec ses mains), comme ils le font eux-mêmes s'il y a beaucoup de feuilles etc.

Elle s'arrêta, les sourcils froncés, rassemblant ses souvenirs.

— George m'a dit, reprit-elle, que les seuls bruits qui les effrayent sont ceux qui leur paraissent étranges, qui sont anormaux ou qui viennent d'un endroit qui leur paraît anormal.

Elle a l'air fatiguée et maigrichonne, se dit Leaphorn. Qu'est-ce qu'elle peut bien fabriquer avec cette bande-là ? Elle est trop jeune. Pourquoi les hommes blancs ne s'occupent-ils pas de leurs enfants ? Puis il pensa à George Bowlegs. Et pourquoi les Navajos ne s'occupent-ils pas de leurs enfants ?

– Vous m'avez dit qu'Ernesto Cata lui apprenait comment les Zuñis chassent. Comment font-ils ?

– Peut-être que c'était seulement pour rire, répondit-elle. Je crois que ça avait quand même un rapport avec la religion. Il a parlé d'un poème, d'une petite chanson. Que l'on est censé chanter quand on part chasser le cerf. George essayait de l'apprendre par cœur en Zuñi et c'était difficile parce qu'il commençait seulement à parler le Zuñi. Je leur ai demandé de me la traduire et je l'ai transcrite dans mon journal.

– Je serais curieux de la voir, dit Leaphorn.

Je serais très curieux de voir le journal lui-même, se dit-il. Et Baker aussi. Qu'est-ce qu'elle avait pu y noter d'autre ?

– Je m'en souviens en partie, dit-elle puis elle réfléchit.

« Cerf, cerf, puissant cerf,
Je suis le bruit que tu entends courir sur tes pas,
Tu m'entends courir, ce bruit est le mien.
Pour toi j'apporte des cadeaux sacrés.
Ma flèche est porteuse d'une nouvelle vie. »

Sa voix, petite et flûtée, s'arrêta soudain. Elle jeta un regard de côté vers Leaphorn, rougit.

– C'est bien plus long que ça, dit-elle, et je me suis sûrement trompée. Il y a aussi une prière pour quand le cerf tombe. On prend son museau entre les mains, on approche le visage de ses naseaux et on aspire son souffle en disant, « Merci, mon père. En ce jour j'ai bu le vent sacré de ta vie. » Je trouve ça très beau.

Sa voix se perdit dans le silence. Elle baissa la tête, se cacha le visage dans les mains.

– Ernesto était si heureux, dit-elle d'une voix que ses mains étouffaient. Les gens heureux ne devraient pas mourir.

– Je ne sais pas, dit Leaphorn. Peut-être que la mort ne devrait toucher que ceux qui sont vraiment très vieux. Ceux qui sont fatigués et aspirent au repos.

Susanne ne faisait aucun bruit. Elle était assise, tête penchée en avant, le visage dans les mains. Leaphorn parla de la mort en termes apaisants. Il lui raconta comment la mythologie navajo la représentait, comment Tueur-de-Monstres et Fils-Né-des-Eaux s'étaient emparés des armes qu'ils étaient venus dérober au Soleil et comment ils avaient tué les Monstres qui apportaient la mort au Dinee, mais comment ils avaient décidé d'épargner une sorte de mort.

– Nous l'appelons Sa, dit-il. Dans l'histoire telle que me l'a racontée mon grand-père, les Jumeaux Héroïques * trouvèrent Sa endormi dans un trou dans la terre. Né-des-Eaux allait le tuer avec son gourdin lorsque Sa se réveilla et dit aux jumeaux qu'ils devaient l'épargner pour que ceux qui sont fatigués et usés par les années puissent mourir et laisser la place à ceux qui doivent naître.

Leaphorn voulait continuer à parler tant qu'elle en aurait besoin de façon à ce qu'elle puisse pleurer sans honte. Elle ne pleurait pas sur Ernesto Cata, pas vraiment, mais sur elle, sur George Bowlegs, sur tous les enfants perdus et sur l'innocence perdue. Et maintenant elle essuyait ses joues avec le dos de sa main, et maintenant avec la manche de sa chemise bien trop grande pour elle.

Quel âge a-t-elle, se demanda Leaphorn. Probablement dix-huit, dix-neuf ans. Mais son âge semblait un mélange insensé. Avec le vert du printemps et le gris de l'hiver. Comment était-elle venue ici ? D'où venait-elle ? Pourquoi l'homme blanc ne s'occupait-il pas de sa fille ? Est-ce que lui aussi, exactement comme Shorty Bowlegs, cherchait à fuir ses enfants en buvant ?

– J'espère que toutes ces choses sur la façon de chasser vont vous aider mais je ne vois pas comment, dit-elle. Je pense que vous devriez attendre qu'il revienne chez lui.

– Je ne vous en ai pas encore parlé, dit Leaphorn, mais il n'a plus de chez lui. Je suppose que vous savez que son père était un alcoolique. Eh bien, maintenant, son père est mort.

– Mon Dieu ! s'exclama Susanne. Pauvre George. Il ne le sait pas encore ?

– Non, si..., commença Leaphorn puis il se reprit. Non, il n'est pas revenu.

– Il avait honte de son père, reprit Susanne. Honte parce qu'il était ivre à longueur de journée. Mais il l'aimait bien quand même. Il l'aimait vraiment.

– Cecil aussi.

– Je pense que c'est différent quand ils sont alcooliques. C'est comme si votre père était malade. Ce n'est pas vraiment sa faute. On peut quand même l'aimer et c'est moins dur.

Elle se tut. Ses yeux étaient à nouveau embués mais elle n'y faisait pas attention.

– Maintenant il ne lui reste plus rien, poursuivit-elle. D'abord il perd Ernesto et ensuite il perd son père.

– Il a un frère, dit Leaphorn. Un frère de onze ans qui s'appelle Cecil. Il a Cecil, mais tant que nous n'aurons pas trouvé George, Cecil n'aura personne.

– Je ne savais pas qu'il avait un frère. Pas avant que vous en parliez. Il ne m'en a jamais parlé.

Elle dit cela comme si ça lui semblait incroyable, comme si soudain elle ne comprenait plus très bien George Bowlegs. Elle se leva, mit les mains dans les poches de son jean, les en retira nerveusement. C'étaient de petites mains frêles, sales, aux ongles cassés.

– J'ai une sœur, dit-elle. Quatorze ans en janvier. Un jour je retournerai là-bas la chercher.

Elle regardait le lit de la rivière.

– Un jour, quand j'aurai de l'argent, je retournerai là-bas, j'irai à son école à midi et je l'emmènerai avec moi.

– Pour l'amener ici ?

Susanne le regarda.

– Non, pas ici. Je trouverai un endroit où l'emmener.

– Est-ce qu'elle n'est pas mieux avec vos parents ?

– Avec mon père, corrigea-t-elle automatiquement. Non, je ne sais pas. Je ne crois pas.

Elle se tut un instant.

– Si en fait vous ne croyez pas que George va mourir de froid, c'est que vous voulez le trouver parce que vous pensez qu'il a tué Ernesto ? C'est ça ? Ou parce qu'il y a quelqu'un qui le pense ?

– Je suppose que certains pensent que c'est possible. Ou qu'il se trouvait suffisamment près de

120

l'endroit où ça s'est passé pour avoir parfaitement vu celui qui l'a fait. Pour ma part, je pense qu'il peut nous en dire assez pour que nous sachions ce qui s'est passé et pourquoi.

– Je ne me rappelle de rien d'autre, assura Susanne.

Elle tourna son regard vers lui puis l'abaissa sur ses mains. Elle tira l'extrémité de ses manches pour qu'elles cachent ses mains jusqu'à ses doigts, regarda ses ongles puis ferma les poings pour les dissimuler, enfonça enfin ses poings dans ses poches. Leaphorn laissa le silence s'appesantir sans la quitter des yeux. Elle était bien trop maigre, se dit-il, sa peau était trop tendue sur son ossature fragile.

– C'est quand même très ennuyeux si je ne le retrouve pas. Enfin, ça l'est *peut-être*. Voilà comment Shorty Bowlegs est mort : quelqu'un lui a enfoncé le crâne dans son hogan hier soir. Celui qui l'a fait cherchait quelque chose. Il a tout retourné dans le hogan. Voilà. Réfléchissez-y un petit peu. Quelqu'un tue le jeune Cata. Deux jours plus tard, quelqu'un tue le père de George et fouille le hogan.

Il la regarda en concluant :

– Qu'en pensez-vous ? Moi, ça m'inquiète pour George. Deux meurtres qui se ressemblent beaucoup, et George est le seul lien qu'il y ait entre les deux.

– Vous voulez dire que le père de George a été tué. Et vous pensez que quelqu'un pourrait...

– *Quien sabe ?* dit Leaphorn en haussant les épaules. Son ami se fait tuer, George disparaît, son père se fait tuer, qu'est-ce qui va se passer maintenant ? Moi, ça m'inquiète.

121

– Je ne savais pas que son père avait été tué. Je pensais qu'il était mort, c'est tout.

– Après avoir parlé avec vous lundi, George est retourné à son hogan. Quand Cecil est rentré lundi soir il s'est aperçu que leur cheval et leur 30-30 avaient disparu ainsi que des vêtements appartenant à George. Et George avait laissé un mot. Pour dire à Cecil qu'il avait une affaire à régler avec un kachina ou des kachinas, qu'il allait s'en occuper et qu'il partait pour plusieurs jours. Voilà, est-ce que cela vous dit quelque chose ? Est-ce qu'il a parlé de tout cela pendant qu'il était ici ?

Susanne avait les sourcils froncés.

– Il était pressé, dit-elle. Ça, je m'en souviens. Il transpirait comme s'il avait couru.

Elle ferma les yeux pour se concentrer.

– Il a dit qu'il venait chercher de la viande. Et quand Halsey a dit non, George et moi sommes sortis du hogan. Ensuite il a commencé à me poser des questions sur la religion Zuñi. Je me souviens de ce qu'il m'a dit et de ce que je lui ai répondu.

Elle ouvrit les yeux et regarda Leaphorn.

– Je vous ai déjà dit que je lui avais dit que je ne savais que ce que le petit Ted m'avait appris. Et alors il m'a demandé si le Conseil des Dieux pouvait pardonner aux gens qui avaient violé un tabou. Je lui ai répondu que je n'en savais rien. Et puis il a parlé de se rendre dans un endroit où on danse, d'aller à une danse ou quelque chose d'approchant.

Elle fronça une nouvelle fois les sourcils.

– Je pense que j'ai mal compris ce qu'il voulait dire. Ça ressemblait à ça, mais ça ne veut pas dire grand chose.

– Un endroit où l'on danse ? Je ne vois pas...

– C'était quelque chose comme ça. Je m'en souviens parce que ça m'a paru complètement fou sur le coup.

– Je vais me renseigner, dit Leaphorn. Autre chose. Je pense qu'il serait plus sage que vous ne restiez pas ici. Je pense que vous n'y êtes pas en sécurité.

– Pourquoi ça ?

– Ce n'est guère plus qu'une impression que j'ai, mais il n'y avait pas beaucoup de gens qui étaient proches de George. Et maintenant, deux d'entre eux sont morts. Il n'y a plus que vous, peut-être Ted Isaacs et, pour autant qu'on puisse le savoir, c'est à peu près tout.

Son impression était plus fondée que ça. Il y avait l'hostilité de Halsey et de Cheveux-Noués et il y avait en arrière-plan le sourire de M. Baker, nez au vent pour détecter l'héroïne. Et aussi la remarque délibérée de O'Malley sur les avions volant à basse altitude. Que la communauté de Halsey serve à la livraison de drogues amenées du Mexique par avion au-dessus du désert de Sonora ou pas, il y avait de la drogue dans les parages. L'état dans lequel se trouvait le dénommé Otis en était la preuve. L'intervention de Baker n'était plus qu'une question de temps.

– A propos, dit Leaphorn. Comment va Otis ?

– Il est parti. Halsey l'a emmené à la gare routière de Gallup hier.

– Ça s'était arrangé ?

– Peut-être un peu. Je ne pense pas.

Elle se tut un instant.

– Ecoutez, vous pensez que Ted pourrait être en danger ?

– Je n'en sais rien. Je n'aurais jamais cru que Shorty Bowlegs courait le moindre danger. Quelqu'un avait une raison de le tuer que nous ignorons, ou alors cette personne cherchait George et Shorty s'est trouvé là où il ne fallait pas. A vrai dire, après ça je suis inquiet pour tous ceux qui étaient en relation avec George. Y compris vous.

– Est-ce que vous avez prévenu Ted ? Vous devriez le prévenir. Dites-lui de retourner à Albuquerque. Dites-lui de partir d'ici.

Elle avait l'air affolée.

– Entendu, dit Leaphorn. Mais je vous le dis aussi. Partez d'ici.

– Je ne peux pas. Mais lui, si. Il n'y a rien qui l'en empêche.

– Vous non plus. Partez. Qu'est-ce qui vous oblige à rester ici ?

Elle eut un mouvement d'épaules, ouvrit ses mains dans un geste d'impuissance.

– Je n'ai nulle part où aller.

– Retournez dans votre famille.

– Non. Je n'ai pas de famille.

– Tout le monde a une famille. Vous m'avez dit que vous aviez votre père. Vous devez avoir des grand-parents, des oncles.

Avec son esprit de Navajo, Leaphorn lutta contre ce concept d'un enfant sans famille, le trouva incroyable et le rejeta.

– Pas de famille, dit Susanne. Mon père ne veut plus me voir.

Elle dit cela sans manifester d'émotion, comme une observation sur la façon dont se comporte le cœur humain.

– La seule grand-mère dont j'ai entendu parler

habite quelque part dans l'est, elle est brouillée avec mon père et je ne l'ai jamais vue. Et si j'ai des oncles, j'ignore jusqu'à leur existence.

Leaphorn digéra tout ça en silence.

– Je suppose que c'est *ça* ma famille, conclut-elle avec un rire mal assuré. Halsey, Grace, Bad Dude Arnett, Lord Ben, Pots et Oats avant qu'il parte. Ceux-là et les autres, la voilà ma famille.

– Vous couchez avec Halsey ?

– Bien sûr, répondit-elle sur un ton de défi. Il faut gagner sa nourriture. Faire un peu de lessive, faire un peu de cuisine et coucher avec Halsey.

– C'est lui qui a l'argent, je suppose. Lui qui s'est arrangé avec Frank Bob Madman pour avoir les terres pâturables, qui a fondé cet endroit et qui achète les provisions.

– Je crois. Je n'en suis pas sûre. En tous cas, moi, je n'en ai pas du tout. J'ai les vêtements que j'ai sur moi, plus une robe avec une tache sur la jupe, un autre jean, des sous-vêtements et un stylo à bille. Mais je n'ai pas d'argent.

– Pas d'argent du tout ? Pas même de quoi prendre un billet d'autocar ?

– Je n'ai pas un cent.

D'un coup de rein, Leaphorn s'écarta de la paroi de l'arroyo et regarda en aval. Personne n'était en vue.

– Et Ted Isaacs ? demanda-t-il. Vous l'aimez bien. Il vous aime bien. Vous pourriez en quelque sorte veiller l'un sur l'autre en attendant que je trouve George.

– Non.

– Pourquoi donc ?

– Je ne sais pas pourquoi je vous parle comme

125

ça. Je ne parle jamais comme ça avec personne. Non, parce que Ted va m'épouser. Un jour.

– Pourquoi pas tout de suite ?

– Il ne peut pas m'épouser tout de suite. Il faut qu'il finisse ce chantier et alors il sera pratiquement célèbre, il aura un bon poste à l'université et il aura tout ce qu'il n'a jamais eu. C'en sera fini pour lui de la misère crasse et d'être quelqu'un dont personne n'a jamais entendu parler.

– Bon. Dans ce cas pourquoi n'allez-vous pas le rejoindre et vous installer dans son camping-car ? Je parie que vous ne mangez pas grand-chose et vous pourriez l'aider dans son travail de fouille.

– Le docteur Reynolds n'acceptera jamais, dit-elle, puis elle se tut un instant. A un moment j'allais souvent y travailler mais le docteur Reynolds en a parlé à Ted.

Son expression indiquait qu'elle espérait que Leaphorn comprendrait.

– Je ne suis pas une professionnelle, je n'y connais rien aux fouilles. Ça a l'air facile mais en fait c'est extrêmement compliqué. Et ça va vraiment être une fouille d'une grande importance. Ça va les obliger à ré-écrire tous leurs livres sur l'Homme de l'Age de Pierre et je pourrais faire une bourde. Le fait même qu'il y ait sur place un amateur comme moi n'y connaissant rien pourrait inciter les gens à se demander si ça a été fait sérieusement. Et de toutes façons, les défenseurs des théories en place chercheront tous les prétextes pour critiquer. Alors il est vraiment préférable que je me tienne à l'écart tant que ça n'est pas fini.

Tout cela donnait l'impression d'avoir été appris par cœur.

– Tout cela, Isaacs vous l'a dit avant que nous ayons deux meurtres, dit Leaphorn. Ça change quand même les choses. Nous allons prendre vos affaires, et tout ce que nous dirons à Halsey c'est que vous venez avec moi.

– Ça ne va pas lui plaire, dit Susanne.

Mais elle le suivit.

12

Mercredi 3 décembre,
15 h 48.

D'ici deux ou trois minutes, le bord inférieur du soleil rouge plongerait derrière les couches de nuages à l'ouest, au-dessus de l'Arizona. Ses rayons obliques de fin d'après-midi étaient presque parallèles à la pente de la colline descendant vers le Zuñi Wash. Ils projetaient l'ombre mobile de Ted Isaacs à près de trois cents mètres en contrebas, et à côté d'elle s'étirait l'ombre immobile du lieutenant Joseph Leaphorn. Chaque genévrier, chaque arbuste jaune et chaque saillie de rocher coupait le gris-jaune de l'herbe automnale d'une bande d'ombre d'un bleu foncé. Et au-delà du flanc de la colline, au-delà du quadrillage de ficelles qui marquait la fouille d'Isaacs, à trois kilomètres de l'autre côté de la vallée, se dressait la masse imposante de Corn Mountain, ses falaises déchique-

127

tées soulignées par les rouges et les roses des reflets de soleil et par les noirs des ombres. C'était l'un des moments de beauté resplendissante que, par la force de l'habitude, Joe Leaphorn prenait le temps de contempler et de savourer. Mais il était préoccupé.

– Oh, merde, dit Isaacs. Sacré bon Dieu de merde.

Il jeta une nouvelle pelletée de terre sur le crible du tamis, lança la pelle contre la brouette et s'essuya le front avec le dessous de son avant-bras couvert de poils. Il entreprit avec fureur de faire passer la terre poussiéreuse à travers la claie puis il jeta la truelle sur le sol, s'assit sur le rebord du tamis et posa sur Leaphorn un regard agressif.

– Je ne vois pas en quoi elle peut se trouver en danger, dit-il. Tout ça ce sont des hypothèses pures et simples. Même pas des hypothèses. Une sorte d'intuition insensée.

La voix d'Isaacs vibrait de colère.

– C'est à peu près ça, oui. Une hypothèse pure et simple.

Leaphorn s'accroupit sur les talons. Deux aigles royaux se laissaient porter par les masses d'air au-dessus de la rivière Zuñi, à l'affût du moindre rongeur qui se manifesterait. Leaphorn le remarqua sans en ressentir de plaisir. La réaction d'Isaacs lui paraissait intéressante. Ce n'était pas à cela qu'il s'était attendu.

Isaacs pinça la peau au-dessus de l'arête de son nez entre deux doigts crasseux, secoua la tête.

– Vous dites que le père de George a été tué de la même façon qu'Ernesto ? D'un coup à la tête ?

Il secoua à nouveau la tête puis regarda Leaphorn.

– On dirait vraiment qu'il y a un fou quelque part, reprit-il, à moins que vous ne parveniez à trouver un mobile à tout ça.

Là-bas, du côté de Zuñi, la fumée de la cuisine du soir commençait à former sa brume nocturne au-dessus de la colline Halona, le Milieu du Monde.

– Peut-être que c'est ces fichus Indiens, dit Isaacs. Une sorte de règlement de comptes entre les Zuñis et les Navajos, peut-être. Est-ce que c'est possible ?

Le ton de sa question indiquait qu'il était trop bon anthropologue pour y croire.

– Non. Ce n'est guère vraisemblable, répondit Leaphorn.

Mais il y réfléchit ainsi qu'il l'avait déjà fait. La famille d'Ernesto avait-elle frappé par vengeance, persuadée que le jeune Bowlegs avait tué leur fils et neveu ? D'après ce que Leaphorn connaissait des coutumes Zuñi, un tel acte était hautement improbable. Il n'y avait pas eu d'homicide à Zuñi depuis des dizaines d'années, et infiniment peu, pensait-il, dans toute l'histoire de ce peuple. Pour autant qu'il pouvait s'en souvenir, tout dans leur religion et leur philosophie militait contre la violence. Et même la colère intérieure, contenue, était tabou durant les périodes de cérémonies religieuses car elle aurait détruit l'efficacité des rites et aurait affaibli le lien que la tribu entretenait avec le surnaturel. Et lorsqu'il s'était produit quelque chose ressemblant à un meurtre, autrefois, dans la nuit des temps, les Zuñis avaient réglé cela en faisant remettre des cadeaux à la famille qui avait perdu l'un des siens, et en initiant le coupable dans les rites de guérison adaptés à sa maladie.

– Je ne pense pas qu'il existe la moindre chance qu'une vengeance soit liée à tout ça, dit-il.

Et cependant, s'il ne trouvait pas George, si rien ne venait éclairer cette affaire, il essaierait alors, un jour, de savoir s'il y avait eu chez les Zuñis une initiation dans les rites destinés à guérir la folie meutrière. Il n'apprendrait probablement rien, mais il essaierait.

– Vous êtes vraiment persuadé que Susie est en danger ? demanda Isaacs. Ecoutez, je ne peux pas la garder ici. Vous ne pouvez pas mettre quelqu'un là-bas pour la protéger, faire quelque chose ? Ou l'amener dans un endroit où elle ne risquera rien ? Vous représentez la loi. C'est votre rôle de protéger les gens.

– Je représente la loi navajo, cette jeune fille est de race blanche et je ne suis même pas absolument sûr que ces hogans se trouvent à l'intérieur de la réserve navajo. Et même si j'en étais sûr, tout ce que j'ai, c'est un sentiment d'inquiétude. En fait la situation est la suivante : elle n'est pas ma petite amie, à moi.

Isaacs regarda Leaphorn fixement.

– Je pense qu'il ne va rien lui arriver, dit-il.

Ses traits montraient qu'il essayait de le croire.

– Il y a encore autre chose. De vous à moi, je ne serais nullement surpris s'il y avait très bientôt un certain nombre d'arrestations là-bas. Si elle y est, elle va se retrouver en prison.

– Des histoires de drogue ?

– Très certainement.

– Quelle bande de pauvres cons !

– Je me suis dit que vous ne teniez peut-être pas tellement à ce qu'elle se fasse coffrer à cause de ça.

– De toutes façons, ça ne me plaît pas qu'elle soit là-bas, dit Isaacs. Mais en ce moment, je ne peux absolument rien faire.

Il se tut.

– Bon, conclut Leaphorn. Je n'avais pas l'intention de vous déranger aussi longtemps. Je me suis trompé, c'est tout.

Il se releva, fit un geste pour partir. Isaacs le retint par le coude.

– Mais vous n'allez rien faire pour elle ? Ecoutez...

– Si, l'interrompit Leaphorn. Je vais essayer de retrouver George Bowlegs et essayer d'élucider ces meurtres. Quand ce sera fait il n'y aura plus à craindre qu'elle prenne un coup sur la tête. Je ne peux rien faire pour la soustraire à une descente des agents des Stupéfiants. A vrai dire, j'en connais un ou deux qui seraient dans une rage folle s'ils savaient que je suis en train d'en parler.

– Je voudrais vraiment pouvoir faire quelque chose...

La voix d'Isaacs se fondit dans le silence. Son visage trahissait la souffrance.

– J'ai comme l'impression qu'elle ne refuserait pas de vous épouser, dit Leaphorn. Cela ne me regarde absolument pas, mais vous pourriez peut-être...

L'expression du visage d'Isaacs l'arrêta. Il haussa les épaules.

– Ça va, n'en parlons plus. Il m'arrive d'oublier que les hommes blancs ont une façon de penser qui est différente de la nôtre à nous, les sauvages. Une dernière chose : vous faites vous aussi partie de ceux qui pourraient bien recevoir un coup sur la tête. Vous devriez...

– Merde, à la fin, dit Isaacs qui maîtrisait à peine sa voix. Qu'est-ce que vous croyez ? Que je m'en fous ? Vous croyez que je ne l'aime pas ?

Il ne parlait plus, il criait.

– Laissez-moi vous dire quelque chose, espèce de putain de redresseur de torts. Je n'ai jamais rien eu à moi avant l'arrivée de Susie ici l'été dernier. Je n'ai jamais eu de petites amies, de vêtements, d'argent, de voiture, et pas de temps non plus pour penser aux femmes, et de toutes façons aucune ne se serait intéressée à moi. Et puis Susie est venue, mal habillée et tout, et elle vivait dans leur communauté, mais ce qu'elle est vraiment ça se voit quand même. C'est une fille bien, voilà ce qu'elle est... une fille bien. Et si vous voulez le savoir, on s'est plu dès le début. Elle était fascinée par ce que nous faisons ici et, bon sang, elle était fascinée par moi. (Son ton suggérait qu'il ne parvenait pas lui-même à le croire). Il fallait qu'elle vienne, c'était plus fort qu'elle, et je n'aurais pas pu supporter qu'elle ne soit pas venue.

– Mais elle a quand même cessé de venir ici. Cela fait plus d'une semaine qu'elle n'est pas venue. C'est bien ce que vous m'avez dit, non ?

Isaacs s'assit sur la brouette, le dos voûté, l'image même de l'épuisement et de la défaite.

– Voilà encore une chose que vous ne comprenez pas...

Il désigna d'un geste, sans grand enthousiasme, le site des fouilles avec son quadrillage de ficelles.

– ... ce que cette fouille-ci représente. Nous sommes en train de démontrer le bien-fondé de la

132

théorie de Reynolds. Je vous l'ai déjà dit. Rien qu'entre hier et aujourd'hui, j'ai trouvé tout ce que nous avions rêvé de découvrir. Pas seulement les éclats de Folsom mélangés à des lames à éclats parallèles. C'était là tout ce que nous avions jamais osé espérer et j'en ai trouvé à longueur de journée. Mais nous avons également des preuves irréfutables.

Il extirpa une poignée d'enveloppes de la poche de sa chemise.

– Je trouve des pointes de Folsom et des lames à éclats parallèles taillées dans le même matériau. Encore ce bois de bambou des marais pétrifié. Qui remonte au miocène. Et qui provient de cet emplacement au sud de Santa Fé.

Il versa le contenu de l'une des enveloppes dans sa main et la tendit vers Leaphorn.

Trois gros morceaux de silex et une vingtaine d'éclats et d'écailles, tous rose ou saumon. Leaphorn se pencha pour les observer de près, remarquant une méchante ampoule rouge entre les cals épais de la paume d'Isaacs ; sa main tremblait.

– Prenez-en un et regardez-le de près, dit Isaacs. Vous voyez ce grain ? Maintenant regardez ce fragment-ci. Il était en train de tailler là-dedans quelque chose qui ressemble à ce que nous avons appelé jusqu'à maintenant une pointe Yuma.

Les ongles cassés et sales d'Isaacs montraient une série de crêtes là où les éclats avaient été arrachés au silex. Il poursuivit.

– Mais il a frappé trop fort ou il s'est passé quelque chose qui a fait que son matériau s'est cassé. Alors...

133

Isaacs prit une autre pierre rosâtre dans sa paume.

– ... il s'est mis à faire celle-là. Vous voyez cette forme de feuille ? Il préparait une pointe Folsom, mais lorsqu'il a attaqué la cannelure, celle-là aussi a cassé.

– Un jour sans, commenta Leaphorn.

– Mais regardez, Bon Dieu ! Ouvrez vos yeux. Regardez le grain de ce bois pétrifié. C'est le même. Regardez la décoloration de ce fragment. (Il désigna de l'ongle une traînée rouge sombre). Voyez comme cette traînée prend naissance ici, dans celui où il essayait de tailler une pointe Folsom. Tous les deux proviennent exactement du même morceau de silex.

– Ça en a sacrément l'air. Mais est-ce que vous pouvez le prouver ?

– Je suis sûr qu'un minéralogiste peut le prouver à l'aide d'un microscope.

– Vous les avez trouvés au même endroit ?

– Dans la même case, répondit Isaacs en la désignant du doigt. Dix-sept ouest, juste là, au sommet de la crête, juste à l'endroit où un gars pouvait s'asseoir et fabriquer des outils tout en guettant le gibier, en bas, près de la rivière. Et il y en avait encore dans les deux cases voisines. Il a dû en casser une, la laisser tomber par terre là où il était assis, et puis il s'est mis à fabriquer l'autre.

– Qu'il a cassée et laissée tomber aussi.

– Et grâce à ça, nous faisons exploser la vieille théorie bien fatiguée des Premiers Hommes et nous forçons l'anthropologie à reconnaître que l'explication traditionnelle de la disparition de l'homme est définitivement dépassée.

– Reynolds est-il déjà au courant de la bonne nouvelle ?

– Il ne le saura pas avant son retour de Tucson ce week-end. Et c'est ça que j'avais commencé à vous expliquer. Reynolds est probablement le seul homme au monde capable de donner à un étudiant une chance pareille. Vous savez sans doute comment ça se passe. Le professeur qui découvre le site, qui parvient à réunir l'argent nécessaire pour le travail de fouille et qui l'organise, c'est sa fouille à lui. Les étudiants manient la pelle et trient mais c'est le professeur qui prend toutes les décisions, qui publie les comptes rendus sous son nom et, si ses étudiants ont de la chance, il mettra peut-être leur nom en note au bas d'une page et ce n'est même pas sûr. Mais avec Reynolds c'est tout le contraire. Il vous dit comment mener le travail et ce qu'il faut chercher puis il vous laisse vous débrouiller. Et tout ce que vous découvrez, vous le publiez vous-même. Il y a une dizaine de personnes dans le pays qui se sont ainsi fait une réputation grâce à lui. Il abandonne la gloire, et tout ce qu'il exige en retour c'est qu'on lui fasse un travail de professionnel. (Il regarda Leaphorn avec un visage triste.) Ce qui signifie un travail parfait. Parfait.

– C'est-à-dire ?

– C'est-à-dire qu'on ne doit pas commettre la moindre erreur. On ne gâche rien. Pas d'erreurs dans les notes. Il ne se passe rien qui puisse permettre aux autres spécialistes de jeter le moindre doute sur ce que vous avez trouvé.

Isaacs eut un ricanement forcé.

– Par exemple, poursuivit-il, on ne laisse pas deux gamins traîner autour du chantier. Par exemple, on ne laisse pas une fille traîner dans le coin. On travaille du lever au coucher du soleil sept jours sur sept et on ne se laisse distraire par absolument rien.

– Je vois, dit Leaphorn.

– Reynolds m'a fait savoir qu'il était déçu quand il a vu Susie ici. Et il a fait un foin du diable pour les garçons.

– Ce qui vous laisse le choix entre Reynolds, qui vous a beaucoup aidé, et cette jeune fille qui a besoin d'aide.

– Non. Ce n'est pas ça.

Isaacs s'assit sur le bord de la brouette. Il détourna les yeux, regarda au loin au-delà de la vallée. Le soleil, maintenant, avait plongé derrière le banc de nuages et la brise se levait soudain. Elle faisait onduler ses cheveux.

– Ces silex, là, vont changer toute ma vie, dit-il lentement. Ils signifient que je vais pouvoir me présenter tranquillement devant mon jury et obtenir mon diplôme. Et au lieu d'être l'un des cent nouveaux diplômés qui vont devoir se battre pour obtenir l'un des trois ou quatre postes décents qu'il peut y avoir dans toutes les facs du pays, je choisirai. J'aurai une réputation, un livre en préparation et je serai reconnu. Et quand j'arriverai aux réunions de l'Association Américaine d'Anthropologie, au lieu d'avoir un petit poste d'assistant minable et crasseux dans une université de troisième zone, eh bien, je serai l'homme qui a contribué à retrouver le chaînon manquant. C'est le genre de chose qui marque toute une vie.

– Tout ce que je vous suggérais de faire c'était de faire venir Susanne ici et de veiller sur elle jusqu'à ce que cette histoire soit terminée.

Isaacs regardait toujours en direction des Zuñi Buttes.

– J'y ai déjà réfléchi. Ne serait-ce que pour qu'elle n'aille plus là-bas. Mais voilà ce que ça donnerait. Reynolds y verrait la preuve définitive que je ne suis pas l'homme qu'il faut sur ce chantier. Il me le retirerait et le confierait à quelqu'un d'autre. Peut-être même qu'il va le faire à cause des deux garçons que j'ai laissés venir ici. Et cela ficherait en l'air mon mémoire de recherche, le diplôme et tout le reste.

Il se tourna vers Leaphorn, à nouveau vibrant de colère.

– Ecoutez, dit-il. Je ne sais pas comment c'était chez vous. Peut-être ric-rac. Ma famille à moi, si on peut appeler ça une famille, c'étaient des petits Blancs pouilleux du fin fond du Tennessee. Pas un d'entre eux qu'a fait des études supérieures. Pas un qu'avait de quoi se torcher. Des pauvres pouilleux, pas autre chose. A en croire ma mère, mon père avait fichu le camp, et je ne jurerais même pas qu'elle savait lequel c'était. Moi, je vivais avec un oncle alcoolique dans une baraque de métayer à récolter le coton, et chaque année quand l'automne arrivait je devais le supplier de me laisser retourner à l'école pour pouvoir achever mes études secondaires. Et après j'ai été portier et plongeur au siège d'une association d'étudiants à l'Université de Memphis, et j'ai même essayé de me faire incorporer pour pouvoir bénéficier du G.I. Bill [1] et savoir comment ça faisait de manger régulièrement.

---

(1) G.I. Bill of Rights : Loi de 1944 permettant aux soldats démobilisés de poursuivre leurs études aux frais du gouvernement.

Isaacs se tut soudain, repensant à tout cela, puis il reprit :

– Vous savez combien de temps ça fait que je manie la pelle ici ? Pratiquement six mois, bon Dieu. Je m'y mets dès qu'il y a suffisamment de lumière. Et je creuse jusqu'à la nuit. Reynolds a obtenu une bourse de trois mille dollars qu'il a répartie entre huit sites. Celui-ci couvre toute la colline, alors il m'a donné un petit peu plus. Il m'a donné quatre cents dollars. Et j'ai emprunté de l'argent à droite et à gauche pour acheter cette vieille camionnette, aménager l'arrière, essayer de me nourrir pour cinquante dollars par mois et je prie Dieu que mes créanciers ne vont pas découvrir où je suis et venir me reprendre le camion. Et pendant tout ce temps, je n'ai pas rechigné une seconde parce que c'est la première chance qu'un Isaacs ait jamais eue de sortir de la boue.

Il s'arrêta de parler. Il fixait toujours Leaphorn, et les muscles de sa mâchoire se contractaient.

– Et quand j'aurai réussi, je prendrai environ deux mille dollars ou ce que ça coûtera, et je me ferai redresser ces dents de castor. C'est le genre de choses que l'on fait faire vers douze ans quand on a quelqu'un qui s'en préoccupe, et c'est probablement trop tard maintenant pour les arranger, mais bon Dieu de bon Dieu, je vais essayer.

Lorsqu'il redescendit la pente, Leaphorn s'aperçut que Susanne n'attendait plus dans la voiture de police. Il n'en fut pas surpris. Même en regardant de loin la conversation qu'il avait eue avec Isaacs, il avait dû être bien facile pour elle de se rendre compte qu'elle avait vu juste : que Ted Isaacs ne tenait pas à ce qu'elle s'installe avec lui. Alors elle

138

avait décidé de ne pas attendre pour éviter de se l'entendre dire. Leaphorn réfléchit à la direction qu'elle avait pu prendre et à tous les éléments qui déterminent un choix. Il réfléchit à la façon dont le cerveau d'homme blanc de Ted Isaacs avait partagé les choses de telle sorte que Susanne se trouvait sur l'un des plateaux de la balance et tout ce qu'il voulait par ailleurs sur l'autre, et à la manière dont avaient pesé les valeurs qui l'avaient amené à rejeter Susanne. Puis il secoua la tête et pensa à autre chose. Il revint neuf mille ans en arrière pour imaginer un chasseur nu accroupi sur la crête, taillant laborieusement une pointe de sagaie, la cassant, la laissant tomber calmement, en taillant une autre, la cassant, la laissant tomber calmement. L'esprit de Leaphorn ne se satisfaisait pas de cette seconde scène. Son imagination insistait pour se représenter son Homme de Folsom qui proférait un juron courant à l'Age de Pierre et jetait le silex récalcitrant au bas de la pente. Tout au bas de la pente, là où aucun anthropologue ne risquait de le trouver quatre-vingt-dix siècles plus tard.

13

Mercredi 3 décembre,
17 h 00.

Le Père Ingles, de l'Ordre de Saint-François, était un petit homme sec, soigné, à l'air solide ; les cicatrices que la variole avait laissées sur son visage disparaissaient sous les ravages causés par le soleil et le vent au long de deux générations. Leaphorn le trouva assis sur le muret qui entourait le cimetière, derrière l'église de la Mission Saint-Antoine : il parlait avec un jeune Zuñi.

– Je suis à vous tout de suite, dit-il.

Le Zuñi et lui achevèrent d'établir une liste de noms : ceux des membres de l'équipe de basket-ball féminine de l'Organisation des Jeunesses Catholiques qui allaient effectuer le déplacement de Gallup en autocar afin de rencontrer les Navajos Sawmill Jills et les Acoma Bravettes dans un tournoi amical. Cette tâche achevée et le Zuñi une fois parti, il était resté assis sur le mur, vêtu d'un blouson provenant des surplus de la marine, le regard perdu en direction des tombes, et il racontait à Leaphorn de sa voix douce et lente ce qu'il savait de la famille de Shorty Bowlegs.

Leaphorn connaissait Ingles de réputation. Pendant des années il avait sillonné la région depuis la Mission Saint-Michel à côté de Window Rock et, pour les Navajos de Window Rock, il était connu sous le nom de Curé Tracy [1] par déférence envers son arrière-train osseux. Il parlait le Navajo, ce qui était rare chez les hommes blancs, et en avait si bien assimilé les tonalités complexes qu'il pouvait pratiquer le passe-temps favori du Peuple consistant à produire des jeux de mots absurdes en faisant semblant de mal prononcer. Pour l'heure, le son de sa voix était triste. Il avait parlé à Leaphorn de la

_____

(1) Tracy : patronyme faisant ressortir les origines irlandaises du Père Ingles.

famille d'Ernesto Cata, et maintenant il lui parlait de Shorty Bowlegs. Leaphorn était déjà au courant de l'essentiel. Plus tard, quand il se serait écoulé suffisamment de temps pour que cette conversation prenne un tour tout à fait détendu, il poserait les questions qu'il était venu poser. En attendant, il se contentait d'écouter. C'était là quelque chose que Joe Leaphorn savait très bien faire.

– Pour en arriver à George, c'est un insupportable petit démon, disait Ingles. Je ne crois pas avoir jamais vu un gamin ayant une tournure d'esprit aussi bizarre. Vif. Très très vif. Disons à moitié génial et à moitié fou. Le genre de gamin qui, si vous parvenez à en faire un chrétien, deviendra un saint. Un esprit très mystique, le plus souvent délirant et faisant preuve d'une extrême confusion, mais avec quelque chose en lui qui le pousse à en savoir plus que ce que le commun des mortels est censé savoir. Il deviendra poète, ou il se tirera une balle, ou encore il finira alcoolique comme son père. Ou nous parviendrons quand même à lui mettre le grappin dessus et nous aurons un Saint Bowlegs de Zuñi.

– Est-ce qu'il venait à l'église ici ?

– A une époque, oui, répondit Ingles en riant. Je pense qu'on pourrait dire qu'il nous a étudiés pour nous comparer avec la sorcellerie, la magie, la religion Zuñi et le mysticisme primitif de la vision provoquée par le jeûne. (Le front du prêtre se plissa). Vous savez, on ne peut pas dire que ce soit lui rendre justice que de parler de lui en ces termes. George cherchait quelque chose parce qu'il était assez intelligent pour comprendre qu'il n'avait rien. Il savait exactement ce qu'avait fait sa mère et c'est

141

une chose très dure pour un enfant. Et bien sûr il voyait que son père était un ivrogne, et c'était peut-être encore pire. Il vivait loin de sa famille, les coutumes navajos lui étaient donc refusées, et il n'avait rien pour les remplacer.

– Que savait-il de sa mère ?

– Deux versions me sont parvenues. Ils habitaient quelque part du côté de Coyote Canyon avec sa famille à elle. Selon la première version, elle s'est mise à partir en auto-stop pour aller faire la tournée des bars de Gallup avec des hommes. Selon la deuxième, elle a quitté Bowlegs et s'est installée chez deux de ses frères dont on dit que ce sont des sorciers. Faites votre choix. Ou mélangez-les et choisissez les éléments qui vous conviennent. Quoi qu'il en soit, Bowlegs ne s'entendait pas avec la famille de sa femme alors il est retourné chez les siens à Ramah et ensuite il est venu ici garder les moutons des Zuñis.

– Revenons légèrement en arrière. Vous m'avez dit que, d'après les racontars, elle est allée s'installer chez deux de ses frères qui sont des sorciers. Vous ne vous souvenez de rien de plus ? Qui le disait ? Vous a-t-on donné des détails ?

– J'ai bien dû l'entendre en deux ou trois endroits. Vous savez ce que c'est que les racontars. On les entend toujours en cinquième ou sixième main et personne ne sait d'où ils viennent.

Ingles regardait de l'autre côté du cimetière et réfléchissait. Le temps passait. Il avait suffisamment vécu chez les Navajos pour pouvoir laisser le temps passer sans en être gêné. Il plongea la main dans sa poche pour en sortir un cigare, l'offrit sans un mot à Leaphorn qui refusa d'un signe de tête, en coupa le bout avec ses dents, l'alluma et souffla une légère bouffée de fumée bleue dans l'air de ce début de soirée.

– Je n'arrive pas à me souvenir de détails, dit-il. Seulement que quelqu'un m'a dit que la mère du garçon vivait avec deux sorciers. Vous pensez que ça pourrait être important ?

– Non, répondit Leaphorn. Je prends toujours soin de ne pas négliger ces histoires de sorcellerie. Il y a peu de problèmes dans la réserve, mais la plupart du temps c'est de là qu'ils viennent.

– Vous croyez aux sorciers ?

– C'est comme si je vous demandais si vous croyez au péché, mon Père. Ce qui compte, c'est de comprendre petit à petit que les histoires de sorcellerie et les ennuis vont généralement de pair.

– Je l'ai remarqué, moi aussi, dit Ingles. Vous pensez que ça pourrait être le cas cette fois-ci ?

– Je ne vois pas comment.

Ingles rejeta une nouvelle bouffée de fumée bleue dans l'air. Ils la regardèrent flotter le long du mur.

– De toutes façons, à cette époque-là, le père de George picolait sérieusement, si bien que l'intérêt que George montrait à fréquenter l'église n'était peut-être qu'une fuite devant l'alcoolisme de son père. En tous cas, cet intérêt n'a pas duré longtemps.

– Vous ne l'avez pas baptisé ?

– Non. D'après ce qu'Ernesto m'a dit, George s'est ensuite intéressé aux coutumes Zuñi. Il comparait leur mythologie des origines avec celle des Navajos et avec la Genèse, ce genre de choses. Ernesto l'amenait avec lui quand il voulait me parler. Il me demandait quelle était la différence

143

entre les kachinas Zuñi et nos saints. Des choses comme ça.

Le Père Ingles ponctua ce nouveau silence d'une autre bouffée de fumée.

– C'est très proche en un sens. Selon notre conception, lorsqu'un chrétien atteint le terme d'une vie juste, son âme rejoint celle des saints. Lorsqu'un Zuñi parvient à la fin de son chemin, son esprit rejoint le village des kachinas et il devient l'un d'entre eux.

– Ce que je connais de la religion Zuñi je l'ai appris un peu dans les livres d'anthropologie, un peu par ouï-dire, et un peu par un camarade de chambre que j'ai eu autrefois. Ça ne représente pas grand chose et tout n'est sans doute pas exact.

– Sans doute, dit Ingles. Les Zuñis se sont rendu compte il y a bien longtemps qu'il y avait des gens venus de l'extérieur qui considéraient leurs cérémonies religieuses comme une sorte de spectacle de foire. Et par la suite, la plupart d'entre eux ont refusé d'en parler avec les anthropologues et, parmi ceux qui l'ont fait, certains ont raconté des choses volontairement inexactes.

– Aujourd'hui, je regrette de ne pas en savoir un peu plus, dit Leaphorn. George a dit à son petit frère qu'il allait à la recherche d'un kachina, ou peut-être de plusieurs kachinas. Il ne semblait pas savoir où les trouver exactement, mais il devait avoir une idée assez précise là-dessus parce qu'il a dit qu'il serait parti pendant plusieurs jours.

– A la recherche de kachinas ? reprit Ingles en fronçant les sourcils. Il ne parlait certainement pas des poupées kachinas, je suppose.

– Je ne crois pas. Ce que je crois c'est que lui, ou

lui et Ernesto, avaient fait quelque chose qui avait déplu aux kachinas, du moins c'est ce qu'ils croyaient, ça ou une histoire insensée de ce genre, et George voulait faire quelque chose pour arranger ça.

Ingles se mit à rire.

– C'est bien de George, ça, dit-il. C'est tout à fait lui. (Il secoua la tête). Mais où est-il parti ? A-t-il dit autre chose ?

– Il a dit que s'il ne parvenait pas à faire ce qu'il voulait, il faudrait qu'il revienne à Zuñi pour Shalako. Et, si ça peut vous aider, il a pris l'un des chevaux des Bowlegs et leur fusil. Je parierais que c'est pour chasser le cerf. Et il y a une jeune fille qu'il connaissait qui m'a dit qu'il a parlé d'aller dans un endroit où l'on danse. Est-ce que vous pouvez tirer quelque chose de tout ça ?

Ingles fit claquer sa langue contre son palais.

– Vous savez de quoi il pourrait s'agir ? Il est peut-être en train d'essayer de trouver Kothluwalawa.

Le prêtre rit et secoua la tête.

– Je ne sais pas si ça tient vraiment debout, ajouta-t-il mais avec George ça n'a aucune importance.

– Kothluwalawa ? répéta Leaphorn que l'amusement manifesté par le prêtre agaçait. Et c'est où, ça ? C'est dans un endroit que l'on peut atteindre à cheval qu'il allait.

Ingles devina cette colère.

– Ça n'est pas tout à fait aussi impossible que ça en a l'air. Nous avons plutôt tendance à penser que le paradis se trouve au ciel. Les Zuñis aussi lui associent un concept géographique, à cause de la nature même de leur mythologie. Est-ce que vous connaissez ce mythe ?

– Si je l'ai connu, il ne m'en reste pas grand chose.

– Cela fait partie de la mythologie de la migration. Les Zuñis avaient fini d'émerger * des quatre mondes inférieurs et avaient commencé leur grand voyage en quête du Centre de l'Univers. Des Indiens âgés portaient des enfants de la Confrérie du Bois pour leur faire traverser la rivière Zuñi. Il y eut une sorte de panique et les enfants tombèrent dans l'eau. Alors que le courant les emportait, ils se transformèrent en animaux aquatiques (en grenouilles, serpents, crapauds etc.) au lieu de se noyer, et ils descendirent la rivière jusqu'à l'endroit dont nous parlons. Selon la mythologie, il s'agit d'un lac. Une fois arrivés là, les enfants cessèrent d'être des animaux aquatiques et devinrent des kachinas, et ils formèrent le Conseil des Dieux : le Dieu de la Pluie du Nord, le Dieu de la Pluie du Sud, le Petit Dieu du Feu et tous les autres. A l'origine, il y en avait environ une centaine, je crois.

– C'est un peu comme le Peuple Sacré des Navajos, dit Leaphorn.

– Pas exactement. Votre Peuple Sacré (Tueur-de-Montres, Femme-qui-Change, Né-des-Eaux et les autres) tient plutôt à la fois des dieux grecs de rang inférieur et du héros tel qu'ils se le représentaient. Plus humain que divin, vous savez. Les kachinas n'ont pas d'équivalent dans la civilisation navajo, ni dans la civilisation des hommes blancs. Nous ne possédons pas le mot associé à ce concept et vous non plus. Ce ne sont pas des dieux. Les Zuñis n'ont qu'un seul Dieu, Awonawilona, qui a créé le

146

monde. Et ils ont aussi Shivanni et Shinwanokia :
un tandem formé d'un homme et d'une femme
créés par Dieu pour donner le Soleil, la Terre Mère
et tous les êtres vivants. Mais les kachinas sont
différents. On pourrait peut-être les appeler les
esprits des ancêtres. Leur attitude à l'égard des
humains est bienveillante, paternelle. Ils apportent
des bienfaits. Ils apparaissent sous la forme de
nuages de pluie.

– J'en avais déjà un peu entendu parler. Ainsi, ce
Kothluwalawa où Bowlegs a dit qu'il allait est un
lac qui se trouve en aval de la rivière Zuñi ?

– Ce n'est pas aussi simple que ça. Dans mon
bureau j'ai quatre livres sur les Zuñis, écrits par des
anthropologues ou des ethnologues qui font tous
autorité. Ils le situent tous dans un endroit différent.
L'un dit qu'il est près du confluent du Zuñi Wash et
du Petit Colorado, en Arizona, pas loin de Saint
Johns. Un autre dit que c'est au sud, près du vieux
village de Ojo Caliente. Et un autre le situe plus
haut dans la région du lac Nutria, au nord-est d'ici.
J'ai encore entendu citer deux ou trois endroits, le
plus souvent un petit lac naturel juste de l'autre côté
de la frontière avec l'Arizona. Et je sais qu'il y a des
Zuñis qui pensent que son existence n'est que
métaphysique, située en dehors du temps et de
l'espace.

Leaphorn ne dit rien.

– Ce qui m'a fait penser à Kothluwalawa c'est
cette histoire d'endroit où l'on danse. Quand on
traduit ce mot cela donne quelque chose comme
« L'Endroit-où-Dansent-les-Morts », ou alors « Le-
Lieu-où-Dansent-les-Esprits », quelque chose de ce
genre. (Ingles sourit). Un concept très poétique.

147

Pour un Zuñi, dans sa vie de tous les jours, la danse rituelle représente un peu l'expression parfaite de...

Il marqua une pause, cherchant le mot qui convenait.

– On peut dire de l'extase, de la joie, de la vie, ou de l'unité du groupe. Alors, que font ceux qui ont quitté la vie et qui n'ont pas de tâches à remplir ? Ils passent leur temps à danser.

Le prêtre souffla encore un nuage de fumée bleue vers le cimetière et ils restèrent là, le policier navajo et le missionnaire franciscain, à regarder le nuage se dissiper au-dessus des tombes Zuñi. Vers l'ouest, le soleil donnait au ciel des teintes criardes. Ce que George Bowlegs cherchait, pensait Leaphorn, était un concept si étranger au Peuple qu'il n'y avait pas de mot pour lui dans sa langue. Il n'y avait pas de paradis dans l'ordre cosmique navajo, pas d'esprit kachina bienveillant, et pas de vie agréable après la mort. Si l'on avait de la chance, il y avait l'oubli. Mais pour la grande majorité il y avait un fantôme malheureux et malfaisant, le chindi, qui passait l'éternité à se lamenter dans les ténèbres et à propager la maladie et le mal. Il réfléchissait à ce que Ingles venait de lui dire. Ce Kothluwalawa était peut-être le mot dont Cecil se souvenait qu'il commençait par un « K ».

– Je pense que ce qui est important n'est pas l'endroit où se trouve ce paradis Zuñi, dit-il. Ce qui est important c'est l'endroit où George pense qu'il est.

– Oui. C'est ce que j'étais en train de me dire.

– Auriez-vous une idée de l'endroit où ça pourrait être ?

Ingles réfléchit.

– Je crois bien que je le sais. Je crois qu'il s'agit de ce petit lac qui est juste de l'autre côté de la frontière. Beaucoup de cérémonies religieuses s'y déroulent. Il y a des autels où les gens qui ont un fort esprit religieux effectuent des retraites ; plusieurs fois par an ils vont y attraper des grenouilles, etc. Je crois que ça serait ma première idée. Si George a demandé où c'était, c'est cet endroit-là qu'on lui a probablement indiqué. Et maintenant j'ai une question à vous poser. Pourquoi recherchez-vous ce garçon ? Vous croyez qu'il a tué Ernesto et son propre père également ? Si vous croyez cela, alors je crois que vous vous trompez.

Leaphorn réfléchit avant de répondre.

– Il pourrait être l'assassin de Cata. Il devait se trouver dans les environs immédiats quand ça s'est passé. Sans compter qu'il s'est enfui. Et il pourrait être l'assassin de Shorty. Mais il ne semble pas avoir eu de raison pour ça. Je suppose que c'est ça le problème. Personne ne semble avoir eu de raison pour ça.

L'intonation de Leaphorn transformait sa phrase en question. Il regarda le prêtre.

– Une raison de tuer Ernesto ? Je n'en vois aucune, répondit Ingles. C'était un gentil gamin. Il m'aidait à servir la Messe. Il avait beaucoup d'amis, pas d'ennemis à ma connaissance. Quel gamin de cet âge aurait des ennemis ? Ils sont trop jeunes pour ça.

– Cecil Bowlegs m'a dit qu'Ernesto et George avaient volé quelque chose.

Leaphorn parlait lentement. C'était le point crucial. Il fallait l'aborder avec une grande prudence. Il poursuivit :

149

– J'ai cru comprendre qu'il s'agissait de quelque chose qui venait de ces fouilles anthropologiques au nord de Corn Mountain. Ernesto était catholique. C'était l'un de vos enfants de chœur. S'il avait volé quelque chose, il savait qu'il fallait qu'il le rende avant de pouvoir se confesser. Je ne me trompe pas ?

Ingles lui adressait un large sourire.

– Ce que vous me dites là c'est : « Vous êtes son confesseur. Vous a-t-il fait part de quelque chose qui expliquerait pourquoi quelqu'un l'a tué ? » C'est ça que vous me demandez, mais vous savez que je ne peux pas révéler ce que l'on me dit dans le confessionnal.

– Mais Cata est mort maintenant. Rien de ce que vous me diriez ne pourrait causer du tort à ce garçon. Peut-être que ça aiderait George Bowlegs.

– Laissez-moi y réfléchir, dit Ingles. Ecoutez, cela fait quarante ans que je suis prêtre et c'est la première fois que ça se produit. Je ne vais probablement rien vous dire, mais prenons quand même le temps de réfléchir une minute au problème théologique avec lequel nous voici confrontés.

– Une information même négative pourrait m'aider. Ne serait-ce que de savoir qu'il n'a rien volé d'important. Cecil Bowlegs m'a dit qu'il s'agissait de pointes de flèches provenant des fouilles, mais ce n'était pas ça. Ils ont vérifié et m'ont affirmé qu'aucun objet ancien ne manquait. En fait, il ne leur manquait rien.

Ingles restait assis, silencieux, ses dents s'attaquant à sa lèvre inférieure, son esprit s'attaquant au problème.

– Pour être un péché mortel, il faut que la faut

soit sérieuse. Ce dont vous me parlez n'aurait été qu'une faute tout à fait vénielle. Le genre de choses que font les garçons. Le genre de choses qu'un garçon ayant une conscience moins scrupuleuse qu'Ernesto ne penserait même pas à confesser.

– Maintenant qu'il est mort, vous ne pouvez pas me le dire ? S'agissait-il d'un outil ? D'un bout de papier ? Pouvez-vous me dire ça ?

– Je pense que je ne le peux pas, répondit Ingles. Je ne devrais probablement même pas vous dire que c'était sans importance. Que ça n'avait aucune valeur. Que ça ne pourrait absolument rien vous apprendre.

– Dans ce cas, je me demande pourquoi il a tenu à le confesser ? Est-ce qu'il pensait, lui, que c'était important ?

– Non. Pas vraiment. C'était samedi après-midi. J'étais au confessionnal. Ernesto voulait me parler, mais en privé, de tout autre chose. Alors il a attendu son tour. Et puis, étant donné que de toutes façons il était dans le confessionnal, il s'est confessé à moi et je lui ai donné l'absolution. La confession est un sacrement : Dieu vous offre la grâce en échange, même si vous n'avez pas commis de péché.

– Samedi. Samedi dernier ? La veille de sa mort ?

– Oui, dit le Père Ingles. Samedi dernier. C'était lui qui servait la messe de dimanche avec moi, mais je ne lui ai pas parlé. Ça a été la dernière fois que nous nous sommes parlé, Ernesto et moi.

Ingles se laissa soudain descendre du mur.

– Je commence à avoir froid, dit-il. Rentrons.

Lorsqu'ils franchirent la lourde porte de bois,

Ingles fit une génuflexion dans la direction de l'autel et désigna le banc du fond à Leaphorn.

– Je ne vois pas ce qui peut vous servir dans ce que je vous ai dit. Le fait que le père de George Bowlegs était un alcoolique ? D'ailleurs, je suppose que vous le saviez déjà. Le fait qu'Ernesto Cata n'avait rien fait de grave au point que quelqu'un désire le tuer ? Pas même au point de mériter une bonne réprimande, en fait.

– Est-ce que ça m'aiderait si vous disiez ce dont Cata voulait vous parler ? Je veux dire, avant de confesser ses péchés. Ingles eut un petit rire.

– J'en doute, dit-il. Il n'y avait vraiment pas de quoi entraîner un meurtre.

– Pourriez-vous quand même me dire de quoi il s'agissait ?

– Je ne pense pas que je le dirais à un Zuñi, expliqua Ingles, mais vous êtes Navajo. (Il sourit). Ernesto pensait qu'il avait peut-être violé un tabou Zuñi. Mais il n'en était pas certain ; ça le tracassait. Il n'était pas encore prêt à l'avouer à ceux de sa kiva, il voulait seulement se confier à un ami. J'ai été cet ami.

– Quel tabou ?

– Ça concerne les enfants... tous ceux qui n'ont pas atteint l'âge d'être initiés * dans la société religieuse des Zuñi ne sont pas censés être mis au courant que ce sont des hommes qui personnifient les esprits, expliqua Ingles. Vous savez pourquoi ?

– Plus ou moins.

– Eh bien, dans la mythologie Zuñi, le Conseil des Dieux (si vous appelez comme ça les esprits de ces enfants noyés) revenait au village chaque année. Ils amenaient la pluie, les récoltes, les bienfaits de

152

toutes sortes, dansaient avec les habitants et leur apprenaient la façon correcte de faire les choses. Mais il y avait toujours des Zuñis pour les suivre lorsqu'ils repartaient pour l'Endroit-où-Dansent-les-Morts. Et ceux qui les suivaient mouraient. C'était vraiment malheureux et les kachinas ne voulaient pas que ça continue alors ils ont dit aux Zuñis qu'ils ne viendraient plus. A la place, les Zuñis devaient fabriquer des masques sacrés les représentant et ils devaient choisir des hommes importants appartenant aux kivas et aux différentes sociétés fétiches pour personnifier différents esprits. Ils seraient visibles, m'a-t-on dit, à certains sorciers. Mais à part ceux-ci, quiconque les verrait devrait mourir. Bien sûr, cet arrangement entre les kachinas et les Zuñis était un arrangement secret. Seuls ceux qui avaient été initiés dans la religion avaient le droit de savoir. On ne devait pas le dire aux enfants.

L'attention de Leaphorn était partagée entre deux choses. Il écoutait la voix lente et précise de Ingles, mais ses yeux étudiaient les fresques qui couvraient les murs de la mission. Sur le plâtre nu tout blanc étaient représentés les Dieux des Zuñis en train de danser, la plupart d'entre eux ayant la taille et l'apparence des hommes à l'exception des masques fantastiques qui leur donnaient des têtes d'oiseaux monstrueux. Un seul était plus petit, un personnage tout noir tacheté de rouge, et un autre était beaucoup plus grand : juste au-dessus de leurs têtes, à côté de la balustrade de la galerie réservée au chœur, se dressait la silhouette gigantesque d'un Shalako, une forme pyramidale de près de trois mètres surmontée d'une tête minuscule et portée par des jambes humaines. C'était « l'oiseau messager » des dieux.

– C'était ça qui inquiétait Ernesto, disait Ingles. Il avait dit à George que c'était lui qui allait personnifier Shulawitsi et il craignait d'avoir violé un tabou. Regardez.

Le prêtre désigna le petit personnage noir qui conduisait la procession des kachinas sur le mur.

– Le petit, tout noir, avec le masque tacheté, c'est Shulawitsi, le Petit Dieu du Feu. C'est toujours un garçon qui le personnifie. C'est un rôle terriblement difficile : il faut faire de la musculation, courir, être en bonne condition physique, apprendre des chants, apprendre des danses. C'est l'honneur le plus grand qui puisse être conféré à un enfant par son peuple, mais c'est en même temps une épreuve. Ils manquent souvent l'école.

– Qu'il en ait parlé à George est-ce que ça a effectivement violé un tabou ?

– A vrai dire, je n'en sais rien. George aurait été initié il y a deux ou trois ans s'il avait été Zuñi : il n'était donc pas un enfant dans le sens où l'entend le mythe, et il aurait certainement déjà su que les kachinas des cérémonies de Shalako sont personnifiés par les hommes qui habitent sur place. Mais d'un autre côté, il n'avait pas été initié aux secrets du culte dans les règles. Le mythe justifie tout ça en disant qu'un garçon Zuñi a un jour tout raconté aux enfants exprès pour leur gâcher les cérémonies parce qu'il était en colère, et la colère fait partie de ces tabous. Il est interdit de nourrir un sentiment de colère pendant toutes les périodes de cérémonies. Quoi qu'il en soit, le Conseil des Dieux a envoyé ce Salamobia * pour punir le garçon.

Ingles désigna le quatrième kachina de la fresque, un personnage musclé armé d'un fouet de yucca * tressé dont la tête au bec et aux yeux féroces était surmontée d'un plumet pointant vers le ciel. Les yeux de Leaphorn s'étaient attardés sur lui tout à l'heure, attirés par une impression de déjà-vu. Maintenant il savait pourquoi. C'était le même masque d'oiseau sur lequel deux jours plus tôt il avait vu la lumière de la lune se réfléchir derrière le hogan à la Toison de Jason.

– Comment l'a-t-il puni ? demanda Leaphorn.

– Le Salamobia lui a tranché la tête avec une machette, juste sur la place qui est là, et a joué au football avec, répondit Ingles qui se mit à rire. Pour l'essentiel, la mythologie Zuñi est très humaine et dépourvue de violence, mais cet épisode-là est aussi cruel que les contes de Grimm.

– Est-ce que vous savez comment Ernesto a été tué ?

Ingles eut l'air surpris.

– Il a perdu tout son sang, n'est-ce pas ? J'en ai conclu qu'il avait reçu un coup de couteau.

– Quelqu'un lui a tranché la gorge d'un coup de machette, dit Leaphorn. La tête a été presque entièrement sectionnée.

14

Leaphorn était debout depuis l'aube et pour la troisième fois il se rendait au hogan des Bowlegs. Autour du corral de branchages, il avait étudié les marques de sabots laissées par le cheval que George avait pris, gravant dans sa mémoire les caractéristiques des fers du cheval et toutes les fentes et fissures de ses sabots. Le corps de Shorty Bowlegs n'était plus là. Enterré par l'un des Zuñis pour lesquels il avait été berger, supposa Leaphorn, ou emmené par O'Malley afin que les spécialistes du laboratoire du FBI à Albuquerque pratiquent il ne savait quels rites magiques à l'autopsie. Les bêtes non plus n'étaient plus là, mais ce qu'avait possédé Shorty Bowlegs était toujours à l'intérieur : le pouvoir du fantôme interdisait aux Navajos d'y toucher. Une troisième visite, celle-ci effectuée par les agents fédéraux, avait encore augmenté le désordre.

Leaphorn se tenait sur le seuil et contemplait pensivement le fouillis. Quelque chose le retenait ici, le sentiment qu'il oubliait quelque chose, qu'il y avait quelque chose qu'il n'avait pas fait. Mais il n'arrivait pas à déterminer ce dont il s'agissait. Il se demanda si O'Malley avait découvert du nouveau. Si l'affaire était résolue et si le Bureau du FBI à Albuquerque publiait un communiqué expliquant comment l'arrestation s'était opérée, Leaphorn n'en serait pas averti. Il l'apprendrait par le *Journal*.

156

d'Albuquerque ou l'*Independent* de Gallup. Leaphorn considérait cet état de fait sans rancœur,
comme étant aussi naturel que la succession des
saisons. Pour l'instant, à Zuñi, ils étaient six organismes chargés de faire respecter la loi à s'intéres-
ser à cette affaire (si l'on comptait la Division du
Bureau des Affaires Indiennes chargée de faire
appliquer l'ordre et la loi, qui en suivait le déroulement en spectateur). Chacun adopterait l'attitude
que lui dicteraient ses intérêts. Leaphorn lui-même,
sans en être vraiment conscient, ferait en sorte que
sa façon d'agir soit favorable au Dinee si les intérêts navajos entraient en jeu. Il savait que Orange
Naranjo ferait son travail avec honnêteté et fidélité,
sachant parfaitement que son grand ami et patron,
le shérif du Comté McKinley, briguait la réélection.
Pasquaanti était avant tout le garant de lois plus
anciennes de plusieurs siècles que les codes écrits
de l'homme blanc. Highsmith, dont le véritable
travail consistait à veiller sur la sécurité des routes,
en ferait le moins possible. Et O'Malley prendrait
ses décisions avec cette assurance, profondément
ancrée chez les agents du FBI, qu'une publicité
bien menée était payante ; mais il considérerait
fort raisonnablement que les autres organismes
étaient des concurrents intéressés eux aussi par
cette publicité.

Leaphorn perdit quelques minutes à s'interroger
sur la raison pour laquelle le FBI avait choisi de
décider qu'une affaire aussi hasardeuse était de son
ressort. D'ordinaire, le FBI ne se manifestait dans
les zones marginales que s'il y avait quelqu'un dans
le lot qui était sûr d'améliorer son palmarès en en-
gageant avec succès des poursuites devant la loi.

Ou bien si l'affaire en cause avait, pour le FBI, un rapport quelconque avec la priorité absolue du jour : pour l'heure, c'était soit l'extrémisme politique soit la drogue. La présence de Baker montrait que la drogue intervenait à un niveau ou à un autre, et l'attitude de O'Malley semblait indiquer que Baker possédait des renseignements que les agents fédéraux n'avaient pas l'intention de partager. Leaphorn se demanda ce que pouvaient être ces renseignements, ne trouva rien, remonta dans sa voiture et démarra. Derrière lui, dans le rétroviseur, il vit la porte de planches du hogan de Shorty Bowlegs bouger. Le fantôme malveillant de Shorty, peut-être, ou ce vent matinal qui soufflait par à-coups et soulevait des tourbillons de poussière autour des rondins.

Se conformant aux indications que le Père Ingles lui avait données Leaphorn rejoignit la route gravillonnée qui conduisait à la Scierie Tribale Zuñi, dans la Forêt Nationale de Cibola, la suivit jusqu'à la route de Fence Lake, prit vers le nord en direction de la NM 53 après le site préhistorique des Ruines de la Maison Jaune. Comme d'habitude, la grand route était déserte. Lorsqu'il approcha de la piste d'atterrissage de Black Rock, un monomoteur décolla, vira sur l'aile au-dessus de la route devant lui et se dirigea vers l'est en prenant de l'altitude pour survoler Corn Mountain. Leaphorn ralentit en traversant l'ancien village de Zuñi, se disant qu'il pouvait faire le détour jusqu'au poste de police de Zuñi à trois rues de là pour savoir s'il y avait eu du nouveau au cours de la nuit. Il réprima cette impulsion. S'il s'était produit quelque chose d'important, ça se serait su au centre de télécommunications à la maison chapitrale de Ramah où il avait passé la nuit. Et il n'était pas d'humeur à parler à O'Malley, Baker, Pasquaanti ou qui que ce soit d'autre. O'Malley lui avait dit de trouver Bowlegs. Il le trouverait si c'était possible parce qu'il était poussé par sa propre curiosité. Et désormais, pour la première fois depuis son arrivée ici, il avait une direction à suivre. Une piste. George avait quitté le hogan familial lundi soir à cheval. La distance qui le séparait du lac était d'environ quatre-vingt kilomètres. Si George avait pris la route la plus directe, il devait couper à travers la réserve Zuñi, retrouver le Zuñi Wash approximativement à la limite de l'Arizona, puis le suivre vers le sud-ouest en direction de la route 666. La région était accidentée, descendait de manière irrégulière depuis la ligne de partage des eaux qui, à l'est de la réserve, culminait à près de deux mille cinq cents mètres, jusqu'à cette vaste dépression située à l'intérieur des terres appelée sur les cartes le Désert Peint. Mais les seuls obstacles étaient naturels. Pas plus de trois ou quatre clôtures, évalua Leaphorn, en une journée et demie de cheval.

Le plan de Leaphorn était simple. Il s'approcherait le plus possible du lac puis se mettrait à chercher les traces de Bowlegs. Ça lui plaisait et, après trois jours de frustration, il voyait arriver avec plaisir l'action concrète.

A la radio, un disc jockey qui parlait un peu du nez faisait de la réclame pour une exhibition de chute libre au Comptoir d'Echanges Ya-Ta-Hey, et passait des disques de country music. Leaphorn changea de longueur d'onde, capta une voix gutturale qui s'exprimait alternativement en anglais et en apache. Il écouta un moment, saisissant un mot par-ci par-là. C'était un prêtre de la Réserve Apache de San Carlos, à cent-cinquante kilomètres au sud.

– Le Livre Saint nous le dit. Le fruit du péché est comme un désert sans eau.

Leaphorn baissa le volume. Une citation bien choisie, pensa-t-il, pour une année de sécheresse.

L'étroite bande d'asphalte se rétrécit encore, les gravillons des bas-côtés cédèrent la place à l'herbe, et la NM 53 devint brusquement la Arizona 61 à la frontière des deux états. Il y avait quelque chose qui tracassait Leaphorn , une idée vague qui s'évanouissait quand il essayait de la saisir. Et ça l'embêtait.

Au croisement de l'US Highway 666, Leaphorn aperçut Susanne. Elle se tenait au nord du croisement, un sac à farine posé sur le sol à côté d'elle ; elle semblait toute petite, frêle et frigorifiée, et, après lui avoir jeté un bref regard, elle faisait semblant de ne pas avoir vu le véhicule de la Police Navajo. Leaphorn hésita. Il n'avait pas envie de compagnie aujourd'hui. Il s'était représenté une journée de solitude pour retrouver le moral. Mais d'un autre côté, il était curieux. Et il éprouvait beaucoup de sympathie pour la jeune fille. Il ne voulait pas qu'elle parte comme ça. Il quitta la chaussée et arrêta la voiture à côté d'elle.

– Où allez-vous ?

– Je fais du stop, dit-elle.

– Je le vois bien. Pour aller où ?

– Au nord. Jusqu'à l'autoroute quarante, dit-elle en secouant la tête. Je ne sais pas encore très bien. Quand j'atteindrai l'autoroute, je déciderai si je vais vers l'est ou vers l'ouest.

– Je crois savoir où trouver George. C'est là que je vais maintenant. Je vais essayer. Si vous n'êtes pas pressée, vous pourriez m'aider.

– Je ne vois pas comment.

– Vous êtes son amie, insista Leaphorn. Il est pratiquement sûr qu'il me verra avant que je ne le voie. Il croira que je le pourchasse et il se cachera. Mais s'il vous voit, il saura que je n'en ai pas après lui.

– J'aimerais bien en être persuadée moi-même, dit-elle.

Mais quand il ouvrit la portière, elle posa le sac à farine derrière le siège et monta dans la cabine à côté de lui. Il effectua un demi-tour et prit la 666 vers le sud. A l'intersection, le panneau indiquait Saint-Johns 29 Miles.

– Nous allons vers le sud jusqu'à l'endroit où le Zuñi Wash passe sous la route, dit Leaphorn. Dans vingt-quatre ou vingt-cinq kilomètres. Avant d'y arriver il y a une entrée de ranch : nous allons y aller et laisser la voiture hors de vue dans un endroit pratique ; ensuite nous continuerons à pied.

Susanne ne répondit pas. Du sommet des collines, la vue portait à une trentaine de kilomètres. La région était essentiellement composée d'ondulations de collines, mais plus au sud s'étendait le plateau de la Réserve Zuñi, des mesas basses découpées aux sommets couverts de broussailles et aux versants arides et érodés.

Comme il s'en était douté, Susanne n'avait pas pris de petit déjeuner. Il lui indiqua le sac de provisions dont il s'était muni à l'épicerie de Ramah.

– Où étiez-vous passée hier ? Quand Isaacs a voulu vous parler, vous aviez disparu.

– Je suis rentrée à la communauté. Ça s'est bien passé comme je vous l'avais dit, hein ? Ted ne pouvait rien faire ? Et ma présence lui rendait les choses encore plus difficiles ?

Leaphorn décida de ne faire aucun commentaire.

– Pourquoi avez-vous changé d'avis alors que vous aviez décidé de rester à la communauté ?

– Halsey a décidé pour moi. Il a dit que la police venait trop souvent à cause de moi.

Il remarqua qu'elle mangeait avidement. Il n'y avait pas que le petit déjeuner qu'elle avait sauté, pensa-t-il. Le dîner aussi, sans doute. Elle avait replié le bas de la manche de sa chemise en jean, et en-dessous dépassait la manche grise et élimée d'un sous-vêtement de laine qui recouvrait le dos de sa petite main fragile. Tandis qu'elle mangeait, rapidement et sans dire un mot, Leaphorn remarqua que la peau située entre le pouce et l'index de sa main droite avait cette blancheur froissée que prennent les cicatrices anciennes. C'était une vilaine marque qui déformait les chairs. La brûlure qui l'avait causée avait traversé la peau jusqu'aux fibres musculaires.

– Halsey vous a donc mise à la porte ?

– Il m'a dit de prendre mes affaires et ce matin il m'a emmenée jusqu'à la route.

Elle détourna les yeux et regarda par la vitre.

– J'avais raison pour Ted, hein ? reprit-elle. Il ne pouvait rien faire.

– Vous aviez raison quant à la situation, dit-il. Isaacs me l'a expliquée exactement de la même façon que vous. Il m'a dit que Reynolds le renverrait si quelqu'un venait habiter avec lui.

– Il ne pouvait absolument pas faire autrement. C'est la chance de sa vie. Après, il sera célèbre. Vous savez, il n'a jamais connu que la pauvreté. Lui et toute sa famille. Il n'a jamais rien eu.

C'était comme si Susanne essayait de les en persuader tous les deux, se dit Leaphorn.

– Il ne pouvait rien faire, répéta-t-elle. C'était absolument impossible.

A environ deux kilomètres de Zuñi Wash, Leaphorn trouva l'entrée du ranch que le Père Ingles lui avait décrite. Un panneau décoloré par les intempéries était cloué sur le montant de la porte. Le message qu'il avait autrefois proclamé (« Privé, entrée interdite » ou « Refermez la barrière ») avait depuis longtemps été effacé par les rafales des tempêtes de sable du printemps. Trois peaux de coyotes dont la brise couchait le poil gris et mort étaient suspendues juste à côté.

– Pourquoi est-ce qu'ils font ça ? demanda Susanne. Pourquoi est-ce qu'ils les clouent sur la barrière ?

– Les coyotes ? Je suppose que c'est pour la même raison que les hommes blancs accrochent aussi des têtes d'animaux sur leurs murs. Pour montrer à tout le monde qu'ils sont suffisamment virils pour les tuer.

Le mot navajo correspondant à Hosteen Coyote est *ma ii*. C'est le fourbe, le mauvais plaisant, l'objet de milliers de plaisanteries, de contes d'enfants et de mythes navajos. Il est souvent l'allié de l'homme dans sa lutte pour la survie, et toujours au ban d'une société qui élève des moutons.

Un Navajo ne laisse pas échapper l'occasion de régler son compte au tueur d'agneaux. Un acte exécuté avec la contrition appropriée ; il ne s'agit certainement pas de l'afficher sur une barrière au bord d'une route.

Leaphorn conduisait très lentement, faisant attention à ne pas rouler sur la piste de terre pour diminuer le risque de soulever un nuage de poussière. Chaque fois que la piste se divisait en deux pour aller vers une éolienne destinée à abreuver les bêtes ou vers une réserve de sel, Leaphorn choisissait la direction qui menait à l'escarpement du plateau Zuñi peu élevé. Le Père Ingles avait dit que le lac se trouvait à neuf ou dix kilomètres vers l'intérieur une fois qu'on avait quitté l'autoroute, au pied de la mesa. C'était un playa * naturel d'assez petit taille que les eaux de ruissellement remplissaient durant la saison des pluies, puis qui s'asséchait lentement jusqu'à ce que la fonte des neiges le remplisse à nouveau au printemps. Il serait relativement facile à trouver dans une région où les pistes des cerfs, des antilopes et du bétail menaient immanquablement aux nappes d'eau résiduelles.

La dernière piste indistincte se terminait en cul-de-sac près d'une éolienne rouillée. Leaphorn fit avancer la fourgonnette encore un peu plus pour la garer dans un arroyo peu profond au cœur d'un bouquet de genévriers.

Le lac se révéla être à moins de quinze cents mètres. Leaphorn, debout au milieu des rochers sur la crête qui le dominait, l'examina en détail avec ses jumelles. Excepté un pluvier qui sautillait sur ses pattes semblables à des échasses, absolument rien ne bougeait sur les rives de boue craquelée. Il étudia le paysage méthodiquement avec ses jumelles, commençant par les environs immédiats pour s'éloigner ensuite vers l'horizon : il ne vit absolument rien.

– Vous êtes sûr que c'est bien ici ? demanda Susanne. Parce que pour un lac sacré on s'attend à quelque chose de plus grand.

La question irrita Leaphorn.

– Est-ce que Saint Thomas d'Aquin ne vous a pas appris à vous, les Blancs, qu'un nombre d'anges infini peuvent danser sur une tête d'épingle ?

– Je ne me souviens pas d'avoir entendu parler de ça. J'ai quitté l'école en seconde...

– Mmm... eh bien, en fait, il n'y a pas besoin d'une grande quantité d'eau pour dissimuler de nombreux esprits. Mais pour nous, qu'il s'agisse ou non de Kothluwalawa n'a aucune importance. Ce qui compte c'est de savoir si George pense que c'est ici. Et cela ne compte que s'il est venu ici et si nous pouvons le trouver.

– Je ne pense pas qu'il serait venu ici, dit-elle d'un ton de doute. Pourquoi l'aurait-il fait ? Vous voyez une raison ?

– Tout ce que je sais de George, c'est ce que les gens m'en ont dit. On m'a dit qu'il est un peu mystique. On m'a dit qu'il est un peu fou. On m'a dit qu'on ne sait jamais ce qu'il va inventer. On m'a dit qu'il veut devenir membre de la tribu Zuñi, qu'il veut être initié dans leur religion. Parfait. Disons qu'il y a du vrai là-dedans. Bon, on m'a aussi dit qu'Ernesto était son meilleur ami. Et qu'Ernesto avait peur d'avoir violé un tabou en en disant plus à George sur la religion Zuñi qu'il n'est permis d'en dire à un non initié.

Leaphorn se tut un instant, réfléchissant à la façon dont les choses avaient pu se passer.

– Bon. Disons que George laisse la bicyclette à l'endroit où il doit retrouver Ernesto et qu'il va faire un tour. Quand il revient, la bicyclette n'est plus là et Ernesto non plus. Rien de très anormal. Il pense qu'il a raté Ernesto et que celui-ci ne l'a pas attendu. Mais il remarque aussi la large flaque de sang. Elle devait être encore fraîche à ce moment-là. Ça a dû l'effrayer. Le lendemain il arrive à l'école et il cherche Ernesto. Et il s'aperçoit qu'Ernesto a disparu. C'est exactement comme ça que ça s'est passé. Bon, tout le monde me dit que George est un peu fou. Disons qu'il décide que ce sont les kachinas qui ont puni Ernesto parce qu'il a violé un tabou. George connaissait sûrement la légende du garçon qui avait violé la loi du secret et à qui les kachinas guerriers avaient tranché la tête. Peut-être veut-il venir ici pour demander au Conseil des Dieux de l'absoudre de toute faute. Ou peut-être est-il venu ici parce que c'est ici que l'esprit d'Ernesto va venir rejoindre ceux de ces ancêtres.

Même en le disant, Leaphorn trouvait ça fort peu vraisemblable.

– Rappelez-vous, poursuivit-il. George vous a demandé si les kachinas pouvaient absoudre. Et rappelez-vous qu'il a dit à Cecil qu'il devait trouver les kachinas, qu'il avait une affaire à régler avec eux.

– Peut-être. Peut-être que c'est comme ça que George a vu les choses, dit Susanne.

Elle regarda Leaphorn puis baissa les yeux sur ses mains. Elle tira sur sa manche pour recouvrir sa cicatrice.

– Il était très bizarre pour un tas de choses, reprit-elle. Ernesto et lui étaient toujours en train de parler de sorciers, de loup-garous, de magie, de visions etc. Pour Ernesto, on voyait bien qu'il n'y croyait pas vraiment, mais pour George, je crois que c'était sérieux.

– S'il a prévu d'être ici pour l'arrivée de l'esprit d'Ernesto, nous avons une bonne chance de le rattraper. Ce sera demain à un moment ou à un autre. Peut-être à l'aube.

– Je ne comprends pas.

– Après la mort, il faut cinq journées de voyage à un esprit pour atteindre l'Endroit-où-Dansent-les-Morts. les Zuñis essayent de faire en sorte que l'enterrement de l'un des leurs ait lieu pendant le cycle solaire de sa mort : c'est pourquoi ils ont procédé aux funérailles d'Ernesto le jour même où ils ont retiré son corps de sous le petit glissement de terrain à la mesa. Ils ont tenu un court service funèbre à l'église catholique, après quoi le prêtre et les hommes importants de sa kiva ont accompli une cérémonie sur sa tombe. Mais d'une certaine façon, ses funérailles ne sont pas véritablement terminées. Les Zuñis disposent des vêtements de rechange pour cinq jours dans le linceul avec le corps. Et le cinquième jour, l'esprit arrive ici (si nous sommes bien au bon endroit), il passe devant les esprits qui montent la garde sur le rivage, rejoint le Conseil des Dieux et devient un kachina.

– Donc vous pensez que George sera ici demain ?

Leaphorn se mit à rire.

– Je ne sais pas si je le pense vraiment ou si je

suis tout simplement incapable d'imaginer une autre possibilité.

– Il veut peut-être être là pour dire une sorte d'au revoir, quelque chose comme ça. Je crois qu'Ernesto était le seul ami qu'il ait jamais eu. Il veut peut-être se livrer à un geste un peu fou.

– Se suicider ?

Susanne regarda Leaphorn avec des yeux qui étaient trop vieux pour son visage.

– Je pense qu'il serait capable de faire quelque chose de ce genre. Il tenait beaucoup à devenir Zuñi et je suppose qu'Ernesto représentait son unique espoir d'y parvenir, si toutefois il en avait un. Mais ce n'était pas tout.

Ses dents mordirent sa lèvre inférieure puis la relâchèrent.

– Il se sentait si seul, dit-elle. Je pense que ça doit être très dur d'être Navajo quand on n'aime pas la solitude.

Cette idée n'était jamais venue à Leaphorn. Il réfléchit en regardant par-delà l'étendue accidentée et très érodée, couverte d'herbe et de broussailles, qui se fondait au loin dans le bleu de l'autre côté du lac.

– Ouais, dit-il, comme une taupe qui aurait horreur du noir.

– Vous l'avez pensé aussi qu'il venait peut-être pour se tuer ? Mais peut-être que les Navajos ne se suicident pas.

– C'est rare. Sauf avec la bouteille. C'est un peu moins rapide qu'avec une arme à feu.

Autour du lac, Leaphorn trouva des traces d'antilopes, de vieilles empreintes de mocassins dans la boue séchée, et des marques diverses laissées par les coyotes, les porcs-épics et les renards roux : cette myriade de petits mammifères que les nappes d'eau résiduelles attirent dans les régions arides. Les traces de mocassins ne laissaient pas le moindre doute : ce playa avait une signification religieuse même si ce n'était pas le Lac Sacré. Exception faite de cérémonies rituelles, les Zuñis ne risquaient pas plus de porter des mocassins que les Navajos ou les agents du FBI. Mais il n'y avait aucune empreinte des sabots du cheval de George ou des bottes que George devait porter. Les seules marques de cheval qu'il trouva étaient anciennes et presque effacées, peut-être par cette même tempête qui avait fait entendre ses hurlements autour du hogan de Shorty Bowlegs la nuit où il avait été tué, et elles ne correspondaient pas aux marques de sabots que Leaphorn avait gravées dans sa mémoire là-bas. Des chevaux semi-sauvages qui venaient s'abreuver ici, pensa-t-il.

Il s'éloigna progressivement du lac, décrivant un cercle de plus en plus grand pour inspecter les pistes suivies par les animaux sauvages et les dépôts de sable laissés par les eaux de ruissellement. Susanne le suivait. Au début elle avait posé quelques questions puis elle était restée silencieuse. A quatorze heures, Leaphorn était absolument sûr que George Bowlegs ne s'était pas approché de ce lac. Il s'assit sous un genévrier, tendit une cigarette à la jeune fille et en fuma une lui-même en essayant d'imaginer à quel autre endroit George avait pu aller pour trouver ses kachinas. Il ne semblait pas y avoir de réponse à cette question. Il termina sa cigarette et se remit à chercher. Moins de cinq minutes plus tard, il découvrit le dessin clair et net du pied avant gauche du cheval de George. Dans la terre nue, là où la masse d'un buisson l'abritait du vent. Leaphorn trouva ensuite, à découvert, l'empreinte du sabot droit, si effacée par le vent qu'il ne l'aurait pas vue s'il n'avait pas su où la chercher.

– Il est donc bien venu, dit Susanne. Mais où est-ce que nous allons le chercher maintenant ?

– Il était ici soit avant, soit pendant la petite tempête d'avant-hier, dit Leaphorn. Il devait encore faire jour. Par conséquent, il a fait une partie du trajet lundi soir après avoir laissé le message à Cecil, et il a fait le reste mardi.

Et depuis ? Leaphorn scruta la terre autour du buisson, découvrant des traces de sabots aux endroits où le relief du sol et la végétation les avaient protégées des rafales de vent. L'examen de cette courte piste lui indiqua que George était monté jusqu'à cette crête en venant du nord-est : de la direction du village de Zuñi. Le garçon avait arrêté son cheval derrière un jeune pin pendant un temps considérable, puis il avait suivi la crête sur une trentaine de mètres et était parti vers le sud-est. Vers le sud-est se dressait la forme gris-vert de l'escarpement du plateau Zuñi. Il avait trouvé le lac puis il était parti. Pourquoi ? Pour attendre ? Pour attendre quoi ? Que l'esprit de Cata arrive, demain, pour sa descente vers le monde inférieur ? Peut-être. Leaphorn secoua la tête. Susanne le regardait d'un air hésitant.

– Vous êtes sûre, demanda-t-il, qu'il est parti de la communauté sans emporter de nourriture ?

– Oui. Halsey s'est opposé à ce qu'il en prenne.

– Donc il devait avoir faim en arrivant ici. Voilà un garçon affamé qui est fier de ses talents de chasseur de cerf et qui a emporté son fusil de chasse. J'en conclus donc qu'il a dû partir à la chasse au cerf.

Autrement, s'il avait attendu l'esprit de Cata, il aurait fallu qu'il passe deux journées entières sans rien manger. Il n'y avait pas de traces de cervidés par ici. Les hardes devaient être encore là-haut sur le plateau, n'avaient pas encore été contraintes à redescendre dans les vallées à cause de la neige et du froid. Si George était malin, il s'était dirigé vers le plateau pour trouver un endroit abrité où il pourrait se protéger. Ensuite, il avait repéré le territoire d'une harde, s'était lancé sur la piste d'un cerf et avait de la viande pour se nourrir en attendant ce qu'il était venu attendre.

Et parce que Georges Bowlegs savait comment trouver les cerfs, Leaphorn savait comment trouver George Bowlegs. Il restait la question de savoir quoi faire de cette jeune fille maigrichonne. Leaphorn la regarda en s'interrogeant et lui expliqua le choix qui s'offrait à eux. C'était fort simple. Soit elle retrouvait son chemin jusqu'à la voiture et l'y attendait, soit elle venait avec lui ce qui voulait dire qu'elle devrait parcourir à pied une distance qui était loin d'être négligeable, et peut-être passer la nuit sur le plateau glacial.

– Je ne sais pas si c'est dangereux, dit Leaphorn. Je ne pense pas que ce soit George qui ait tué le jeune Cata mais il y a des gens qui le pensent, et si c'est lui, peut-être essaiera-t-il de m'abattre en pensant que je le poursuis. J'en doute mais, comme je vous l'ai dit, tout le monde prétend qu'il est un peu fou. S'il est suffisamment fou pour tirer sur quelqu'un, tout ce dont il dispose c'est d'un vieux

171

30-30 à faible portée. Mais à vrai dire, s'il est suffisamment adroit pour tirer le cerf avec ce truc-là, je ne tiens pas à ce qu'il me tire dessus.

Il se tut. Avait-il oublié quelque chose ? Il avait l'impression que oui.

– Autre chose, reprit-il. Il est pratiquement certain qu'il nous verra avant que nous ne le voyions. Parce que nous serons obligés d'avancer et que ce ne sera sans doute pas le cas pour lui.

– D'un autre côté, dit Susanne en lui souriant, George m'aime bien, me fait confiance, et il ne me tirera pas dessus. D'ailleurs je ne pense pas qu'il tirerait sur quelqu'un et je préfère venir plutôt que de rester seule dans la voiture toute la nuit. Et si je ne viens pas avec vous, vous ne le trouverez jamais parce que quand il verra un inconnu il se cachera. Mais s'il me voit il se montrera et viendra parler. Je préfère venir.

Leaphorn passa devant et descendit de la crête d'un pas rapide.

Le chemin que Bowlegs avait dû prendre, (le plus court et le plus facile pour grimper sur la mesa), était une sorte de pli de terrain en dos d'âne qui permettait d'escalader la muraille de la mesa. Leaphorn allait suivre la piste du garçon suffisamment longtemps pour s'en assurer, après quoi il couperait au plus court vers le pli de terrain. Susanne courait presque pour le suivre.

– J'ai un peu peur, dit-elle. Je parie que vous aussi, non ? Mais je pense vraiment que George a besoin d'aide.

Très juste, pensa Leaphorn. George, Ted Isaacs, le jeune homme pâle qui faisait des cauchemars, une jeune sœur abandonnée quelque part dans un coin cruel, un monde plein de perdants : tous ont besoin de l'aide de Susanne et ils l'auront si elle parvient jusqu'à eux. Et c'est cela qui l'empêche d'être une perdante elle aussi. Il marchait vite, repérant de loin en loin les traces de sabots à demi effacées par le vent, sachant que Susanne réussirait à le suivre, et essayant en pure perte de comprendre le choix que Ted Isaacs avait fait.

15

Jeudi 4 décembre,
14 h 17.

Ils trouvèrent les traces du cheval de George sur le pli de terrain en dos d'âne, à peu près à l'endroit où Leaphorn s'attendait à les trouver.

– Vous êtes très fort pour ce genre de choses, hein ? lui dit Susanne.

– Cela fait longtemps que je fais ça, répondit-il.

Elle était accroupie sur les talons à côté de lui pour mieux examiner les marques de sabots dans le chemin tracé par les cervidés. De sa main gauche elle continuait à tirer machinalement sur le bout de sa manche droite, recouvrant la cicatrice avec l'étoffe effilochée. Le réflexe d'un esprit meurtri. Mais à quel point ? Leaphorn s'appliqua à échafauder un ensemble de circonstances qui auraient poussé cette femme-enfant trop maigre à tuer

Ernesto Cata dans une sorte de désir schizophrène perverti de faire le bien. Son imagination y parvint mais échoua devant l'étape suivante : celle qui consistait à essayer de se représenter la jeune fille levant une arme au-dessus de la tête d'un ivrogne sans défense dans le hogan des Bowlegs.

Du sommet de la mesa qui les dominait leur parvint le cri éraillé d'un geai. Leaphorn écouta, n'entendit plus rien. La brise était tombée maintenant. Rien ne bougeait. A l'horizon, vers l'ouest, quelque part au-dessus du centre de l'Arizona, s'était formée une frange de nuages grisâtres. Leaphorn regretta de ne pas avoir écouté les prévisions météorologiques. Il se sentait inquiet tout à coup. Le geai avait-il été effrayé par quelque chose ? George Bowlegs, armé de son vieux 30-30, les surveillait-il du haut de la corniche rocheuse ? S'était-il trompé sur le compte du garçon ? George ne pouvait pas avoir tué son père. A ce moment-là, il se trouvait à un jour de cheval du hogan. Mais il avait pu tuer Cata. Etait-il donc possible qu'il ne soit pas seulement paumé et largué, mais littéralement fou ? Qu'il vive dans une sorte de monde imaginaire où régnaient la magie et la sorcellerie, si bien que le meurtre n'apparaissait plus que comme un autre élément de son rêve ? La question tourmentait Leaphorn tandis qu'il grimpait la pente raide du pli de terrain et franchissait le rebord de la mesa, et elle l'obligea à se déplacer plus lentement et plus prudemment pendant qu'il continuait son travail. Malgré cela, en moins d'une heure, il avait recueilli pratiquement toutes les informations dont il avait besoin.

En cette saison, cette extrémité de la mesa

constituait le territoire où paissait une harde d'environ vingt à vingt-cinq cervidés. Ils s'abreuvaient à un endroit où l'eau suintait sous la corniche rocheuse, et avaient deux emplacements différents pour dormir : tous deux sur des monticules recouverts d'une végétation basse et dense où les mouvements d'air montant leur apportait l'odeur des prédateurs. En moins de deux heures il eut une idée assez claire des habitudes qu'avait la harde pour se nourrir, à l'aube, au crépuscule et une fois la nuit tombée. Ces habitudes alimentaires, expliqua-t-il à Susanne, étaient suivies avec une rigidité presque mécanique par ces animaux, ne changeaient qu'en fonction des conditions météorologiques, du vent, de la température, et des ressources en nourriture.

— D'après ce que vous m'avez dit de George, il n'ignore rien de tout ça, dit Leaphorn. S'il est monté ici au moment où nous le pensons, il a dû essayer d'en tuer un à peu près à la tombée de la nuit. Il a eu assez de temps pour lire leurs traces, pour déterminer où ils broutent après avoir quitté l'endroit où ils dorment l'après-midi. Alors il a tendu son embuscade et s'est contenté d'attendre.

Les corbeaux leur indiquèrent l'endroit. L'oiseau de garde s'envola, croassant pour avertir les autres. Une douzaine de ses congénères qui se repaissaient prirent leur envol à sa suite dans un bruit de panique. Et, sur la pente, ils trouvèrent la petite clairière où George avait abattu son cerf.

L'animal, un jeune mâle de deux ans, gisait encore au bord du chemin dans l'ombre d'un affleurement de gros blocs de pierre. Leaphorn, debout sur l'un des rochers, contemplait la scène avec une certaine satisfaction. Pour la première fois depuis qu'il avait entendu parler de George Bowlegs, quelque chose semblait se conformer à l'harmonie rationnelle que son esprit méthodique exigeait. Il en fit part à Susanne, lui montra les traces figurant sur les lichens des rochers là où George s'était accroupi ; lui expliqua comment, au crépuscule, l'air qui se refroidissait descendait le chemin, avait emporté l'odeur de George loin de la harde qui approchait et permis à celui-ci de se poster pratiquement au-dessus du chemin qu'elle suivait.

– Nous allons suivre ses traces à partir d'ici et repérer où il a passé la nuit dernière. Il a dû entraver son cheval pas bien loin ce qui devrait nous faciliter les choses. Et s'il reste au même endroit jusqu'à demain...

La phrase de Leaphorn demeura en suspens. Son expression, qui était celle d'une satisfaction tranquille, s'altéra pour laisser la place à un froncement de sourcils perplexe. Il rompit le silence qu'il avait lui-même fait naître en marmonnant quelque chose en navajo. L'instant d'avant, cette scène s'enclenchait parfaitement dans le mécanisme que sa logique avait conçu : un cerf tué au moment et à l'endroit où il devait l'avoir été. Pourquoi n'avait-il pas remarqué l'évident manque d'harmonie ? Son froncement de sourcils disparut et une expression maussade lui succéda.

– Qu'est-ce qu'il y a ? lui demanda Susanne en le regardant avec surprise.

– Attendez-moi ici, dit-il. Je veux regarder ça de plus près.

Il sauta au bas des rochers et s'accroupit à côté de

l'animal abattu. Le cerf était raide, mort depuis presque vingt-quatre heures. L'odeur de la viande fraîche et du sang coagulé monta aux narines de Leaphorn. C'était un jeune mâle dodu à quatre cors que la balle, tirée de face d'un point dominant, avait atteint juste derrière l'épaule gauche : un coup parfait pour entraîner une mort instantanée, visiblement parti des rochers à très faible distance. George avait alors fait rouler le cerf sur le dos, avait retiré les glandes odorantes de ses pattes arrières, ligaturé l'orifice anal, ouvert la cage thoracique et l'abdomen d'une incision nette et précise à travers le cuir et les muscles. Il avait sorti les entrailles, puis il avait taillé une longue bande de peau qu'il avait attachée aux chevilles des pattes de devant de l'animal, sans doute pour se préparer à suspendre sa carcasse à une branche d'arbre afin de la laisser sécher et se refroidir hors de portée des rongeurs. Mais elle gisait toujours sur le sol. Leaphorn la regardait d'un air sombre. Il aurait pu comprendre si George s'était seulement taillé une part substantielle de venaison avant d'abandonner l'animal. Laisser cette viande se perdre aurait été totalement contraire à ce à quoi on pouvait s'attendre de la part d'un Navajo, chasseur de surcroît. S'il avait dû se dépêcher, ce n'était cependant pas impossible. Mais alors, pourquoi avait-il fait tout ça ? Leaphorn fit porter son poids sur ses talons et essaya de se représenter la scène.

Le garçon avait dû essayer de s'approcher de la harde sans lui donner l'alerte, s'assurer des itinéraires qu'elle empruntait pour se nourrir, vérifier la direction du vent, préparer son embuscade, attendre en silence dans l'obscurité de plus en plus dense, choisir la bête qu'il voulait, tirer avec précision un unique coup de feu au bon endroit. Puis il avait dû vider l'animal de son sang, le préparer avec soin, sans trahir la moindre hâte. Et puis, alors qu'il en avait presque terminé, il était parti en abandonnant cette viande qui allait se gâter sans même s'y être taillé un steak.

– Qu'est-ce que vous faites ? demanda Susanne. Qu'est-ce qui se passe ?

– Regardez autour de vous pour voir si vous pouvez trouver la douille vide.

– A quoi ça ressemble ?

– C'est en cuivre. Plus petit qu'un capuchon de stylo à plume.

Du bout d'un bâton, il fouilla les entrailles. Il manquait le cœur, le foie et la vésicule biliaire. Les corbeaux s'étaient mis au travail, mais ils n'avaient pas pu avoir le temps d'en finir avec ces organes importants et, de toutes façons, ils auraient évité le goût amer de la bile. Les Navajos n'utilisaient la bile qu'à des fins religieuses, médicales, et contre les sorciers. Leaphorn essaya de se souvenir si les Zuñis utilisaient la vésicule ou la bile de cerf dans leurs rites. Il y avait une histoire de fétiche pour la chasse, se rappela-t-il, mais il ne connaissait pas suffisamment tous ces cérémonials. Il trouva la preuve que George n'avait pas pris de viande. A un endroit, une incision avait été pratiquée et un peu de gras avait été prélevé. Pourquoi George avait-il pris du suif ? Leaphorn ne trouva pas de réponse. Et quel sens cela avait-il de tuer un cerf pour se nourrir, de préparer avec soin l'animal et de s'en aller en ne prenant rien d'autre que le cœur et le foie ? Tout le monde disait que George était fou mais la démence ne pouvait pas expliquer cela.

Leaphorn se redressa, se rendant compte que ses muscles étaient fatigués. Sans grand espoir ni enthousiasme, il s'appliqua à déterminer quel genre d'histoire allaient lui raconter les traces laissées dans cette clairière.

Il y avait des traces de cervidés partout. Tout près de la bête abattue leurs sabots avaient meurtri la terre dans une fuite éperdue. George avait marché à cet endroit-là. La marque de ses bottes recouvrait nettement celle des sabots.

De même que l'empreinte du mocassin.

Leaphorn étudia cette trace : c'était un léger creux ayant la forme d'un pied de taille moyenne. Puis, l'instant suivant, quand les implications de ce qu'il voyait devinrent évidentes, ses doigts se portèrent sur le rabat de son étui à revolver. Il s'immobilisa, scrutant du regard les broussailles qui entouraient ce petit espace découvert, la main sur la crosse de son arme. Cette empreinte de pas avait été faite la veille, après que George eut tué son cerf, mais pas bien longtemps après. Quelqu'un avait suivi George jusqu'ici. En une fraction de seconde infinitésimale, le cerveau et la mémoire de Leaphorn assemblèrent certains morceaux du puzzle. Il revit la boîte en fer blanc cabossée de Cecil et le désordre qu'une main étrangère avait mis dans ses trésors. Il ré-entendit la voix de Cecil lui dire qu'il avait rangé le mot de George dans sa boîte. A cet instant, Leaphorn comprit ce dont il avait négligé de tenir compte depuis trente-six heures. Le mot n'était plus dans la boîte parce que l'homme qui avait tué Shorty Bowlegs l'y avait découvert et, grâce à lui, avait conclu où George était parti et avait implacablement suivi le garçon jusqu'à cet endroit.

179

Avec véhémence, Leaphorn se traita de tous les noms en navajo. Comment avait-il pu être aussi bête ? C'était cela que son subconscient avait tenté de lui faire retrouver. Etait-il trop tard pour s'en souvenir ? Il jeta un coup d'œil au cadavre de l'animal. L'homme avait dû arriver au moment où George préparait son cerf, ce qui expliquait pourquoi il n'avait pas terminé sa tâche. Alors où était George maintenant ? Est-ce que l'homme l'avait tué et avait dissimulé son corps ?

– La voilà, dit Susanne derrière lui. Ça ressemble plus à un tube de rouge à lèvres qu'à un capuchon de stylo.

En souriant, elle lui montrait une douille qu'elle tenait entre le pouce et l'index. (Ça n'allait pas être une douille de 30-30 provenant du vieux fusil de George. Ça serait du calibre .45, .38 ou 30-06, et ça proclamerait que George avait été tué par balle à cet endroit même, hier, à peu près au moment où le lieutenant Joseph Leaphorn perdait son temps en bavardant avec un prêtre catholique à Zuñi).

– Montrez-la moi, dit-il.

Susanne laissa tomber dans la paume de sa main une douille de 30-30 dont le fond de l'étui en cuivre portait une trace de percussion, et dont la ceinture conservait encore l'odeur affaiblie de la poudre brûlée.

– Elle était juste au pied de ce gros rocher, dit Susanne. Ça vient du fusil de George ?

– Ça vient bien du fusil de George. Maintenant, essayez de voir si vous en trouvez une autre. Regardez tout autour de la clairière... là où quelqu'un peut se poster pour observer ce qui se passe ici sans être vu.

Susanne prit un air interrogateur. Leaphorn ne répondit pas à sa question muette. Il s'attaqua au travail pénible qui consistait à découvrir par où George était parti.

Il trouva d'abord par où il était arrivé. Il était monté jusque-là en suivant la piste des cervidés. Il fallut encore un quart d'heure à Leaphorn pour analyser les empreintes et déterminer par quel chemin George était parti. Leaphorn ressentit un immense soulagement : il était parti de son propre gré, s'était éloigné en ligne droite de la bête morte et était retourné derrière les rochers. Alors il s'était arrêté, s'était accroupi face à la clairière en faisant reposer son poids sur la plante de ses pieds. (Pour faire quoi ? Ecouter ? Guetter ? Est-ce que quelque chose lui avait donné l'alerte ?) Ensuite, les empreintes de pas menaient au-delà d'un écran de pins pignons, d'un autre roc en saillie, et grim-paient la pente pour s'enfoncer sous des arbres plus nombreux.

Leaphorn passa encore une demi-heure dans la clairière et n'en apprit guère davantage. Dans sa recherche vaine d'une autre douille vide (que Lea-phorn ne croyait plus qu'elle allait la trouver), Susanne délogea un lapin de garenne qui jaillit du tas de broussailles dans lequel il se terrait à la limite de la clairière et détala entre les rochers. C'était ce genre de bruit qui avait pu donner l'alerte au garçon. En tout cas, il était suffisamment sur ses gardes pour rejoindre à couvert, en empruntant un chemin indi-rect, l'endroit où il avait laissé sa monture. De là, à cheval, il avait traversé la mesa en se dirigeant vers l'ouest. Leaphorn s'assit sur un tronc de pin ponderosa abattu, sortit de la poche de sa veste la boîte de viande en conserve qu'il avait emmenée comme réserve et partagea avec Susanne. Tandis qu'ils mangeaient, il étudia les diverses possibilités qui s'offraient à lui. Il pouvait continuer à suivre George à la trace, il pouvait aussi attendre et essayer de l'attraper demain au lac, ou bien il pouvait abandonner et rentrer. Les chances qu'il avait de trouver George maintenant que quelque chose l'avait effrayé paraissaient bien maigres. Le garçon avait dû prendre la fuite (mais sans aller très vite parce que son cheval devait être à moitié mort de faim et de fatigue), ou alors il devait se cacher quelque part prudemment, tous les sens en éveil. Si Leaphorn avait vu juste pour le lac, il avait un peu plus de chances d'attraper George là plutôt qu'ailleurs. En tous cas, c'était là qu'il en avait le plus.

Le soleil était bas maintenant. A l'ouest, les nuages étaient montés au-dessus de l'horizon et se frangeaient d'un jaune violent. En bas dans la vallée, la lumière rasante changeait le blanc et le gris des alcalis et des nitrates du sol en plusieurs nuances de rose. A plus de cent kilomètres au sud-ouest, une autre formation de nuages était apparue au-dessus de la pâle silhouette bleutée des Montagnes Blanches. Ce vaste paysage vide lui remit en mémoire la remarque que Susanne avait faite sur la difficulté qu'il y a à être un Navajo si l'on n'aime pas la solitude. Il repensa à George. La fuite du garçon, après avoir tué le cerf, semblait suggérer des nerfs tendus plutôt qu'un mouvement de panique. Il avait entendu ou vu quelque chose, avait soudain pris peur et avait prudemment battu en retraite. Leaphorn pensa qu'il ne s'était pas lancé dans une fuite éperdue mais qu'il avait dû trouver un endroit sûr pour se cacher. Et ses craintes avaient dû s'apaiser avec la lumière du jour. George Bowlegs, conclut Leaphorn, devait encore se trouver sur la mesa en ce moment, en train d'attendre ce qu'il était venu attendre à l'Endroit-où-Dansent-les-Morts. Mais l'homme qui le pourchassait était-il toujours là ? Leaphorn réfléchit. Cet homme savait bien qu'il avait donné l'éveil à sa proie. Il fallait qu'il soit un très bon traqueur pour avoir trouvé l'endroit où George avait abattu son cerf. Mais maintenant que George s'était enfui en prenant soin de ne pas laisser de traces, il faudrait qu'il soit bien meilleur encore. Il faudrait qu'il soit aussi bon que Joe Leaphorn, et peut-être meilleur que lui. A sa connaissance, Leaphorn ne voyait pas de meilleur traqueur que lui-même. Et s'il en existait un, ça ne risquait pas d'être un Zuñi ou un homme blanc.

Alors que faisait l'Homme-qui-Portait-des-Mocassins ? Leaphorn pensa au crâne ensanglanté de Shorty Bowlegs, au chaos laissé dans le hogan. Il était convaincu que l'homme n'abandonnerait pas. Il avait dû soigneusement choisir un endroit d'où il pouvait tout surveiller et attendre que le garçon se manifeste. Leaphorn regarda Susanne qui était allongée sur le dos, les traits tirés par la fatigue et couverts de poussière. Trop épuisée pour parler. Il se remit debout, plus fatigué lui-même qu'il ne pouvait se souvenir de l'avoir jamais été.

– Il nous reste un petit peu de jour, dit-il. On pourrait retourner à ce pli de terrain par lequel nous sommes montés jusqu'ici. C'est par là que George est monté, et probablement par là aussi qu'il est redescendu. Nous trouverons un endroit où nous reposer dans ce coin-là. Et demain matin nous serons à pied d'œuvre pour essayer de le repérer.

– Vous n'allez pas essayer de le trouver ce soir ?

– Je vais essayer de me faire une idée générale de l'endroit où il pourrait être, après quoi nous nous reposerons.

Leaphorn s'arrêta à nouveau sur la corniche rocheuse au-dessus du pli de terrain. Il saisit ses jumelles et observa le paysage pendant cinq minutes. Le pli de terrain semblait être le seul chemin permettant de descendre facilement, ce qui confirmait l'impression que l'on avait depuis le lac. Un peu plus loin, au sud de l'endroit où se tenait Leaphorn sur le rebord de la falaise, une plateforme avançait par rapport au versant à pic. Là, la végétation était un enchevêtrement dense de plusieurs variétés de conifères des régions arides. Il avait déjà remarqué cette plate-forme, s'était dit que ça faisait une cachette idéale pour les cervidés : le genre d'endroit qu'une harde choisit pour se reposer. Une unique bande de terre reliait cette haute colline à la mesa. En dépit du fait que celle-ci dominait la plate-forme, on ne pouvait approcher les bêtes d'en haut à cause du surplomb rocheux. Et ainsi que le font les cerfs au repos, ils pouvaient sans difficulté surveiller le chemin d'accès. Dans la journée, les masses d'air ascendant devaient leur apporter l'odeur d'un éventuel prédateur. Et il y avait des issues pour s'enfuir. La pente était très raide mais, contrairement aux murailles de la mesa, pas impraticable. Leaphorn étudiait ce site avec ses jumelles. Pour les mêmes raisons qu'il pouvait attirer les cerfs, il avait pu attirer George. Il offrait la sécurité sans se refermer comme un piège. George l'avait vu. Il avait dû voir les avantages qu'il présentait comme cachette.

Tout en haut du pli de terrain ils traversèrent la piste par laquelle les animaux sauvages descendaient. Susanne avait repris des forces.

– Voilà nos empreintes, dit-elle. Vos bottes et mes tennis. Et voilà les marques de sabots que le cheval de George a laissées et que nous avons déjà vues en montant.

– Ouais, dit Leaphorn.

Si elle avait repris des forces, lui pas.

– Et voici l'une de ces traces de mocassins, reprit-elle. Comme celle que vous m'avez montrée là-bas, à côté du cerf.

– Où ça ?

– Ici, là. Il a marché sur votre empreinte.

Leaphorn s'accroupit à côté de la trace. Le mocassin, en suivant la pente dans le sens de la descente, avait partiellement effacé la marque du talon de Leaphorn que celui-ci avait faite l'après-midi même en montant.

Susanne lut quelque chose sur son visage.

– Ça porte malheur ou quelque chose comme ça ? Quand quelqu'un marche sur vos empreintes ?

– Ça dépend des fois.

Il ne lui avait pas expliqué qui avait très certainement laissé l'empreinte de ses pas à côté du cadavre du cerf. Il ne tenait pas à l'effrayer sans raison. Maintenant il devait peut-être le lui dire. L'homme qui avait suivi George à la trace la veille était peut-être en train de les suivre eux. En tous cas, il savait qu'ils étaient sur la mesa. Leaphorn décida d'attendre d'avoir trouvé un endroit où passer la nuit avant de lui dire quoi que ce soit.

Lorsqu'ils atteignirent le chemin d'accès conduisant à la péninsule boisée en-dessous de la corniche, le ciel à l'ouest se teintait du rouge violent du soleil mourant. Droit vers l'est il y avait un pâle halo jaune là où la pleine lune allait bientôt se lever. Debout à l'endroit où il y avait une brèche dans la corniche, Leaphorn regardait l'inévitable piste qu'avaient tracée les bêtes en se dirigeant vers l'îlot de végétation dense.

– Si je m'étais un petit peu dépêché, j'aurais pu y voir quelque chose, dit-il.

Sur le chemin étroit, aucune trace n'était visible dans le crépuscule. De toutes façons, s'il s'était douté qu'il était suivi George ne l'avait peut-être pas pris. Loin derrière eux, Leaphorn entendit un jappement. Le cycle paisible de la journée touchait à sa fin. Maintenant commençait le cycle de la chasse : les heures des prédateurs, de la chouette et du lynx, du coyotte et du loup. Il n'y avait absolument aucun vent, seulement le léger mouvement de la chaleur qui montait de la terre et un peu d'air frais qui flottait autour de lui et descendait vers la vallée tout en bas. Il fut soudain envahi d'une conviction qui le rendit mal à l'aise : l'Homme-qui-Portait-des-Mocassins savait qu'ils étaient sur la mesa. Les avait-il repérés ? Les avait-il surveillés ? Les surveillait-il en ce moment ? Et aussitôt, Leaphorn ressentit une sorte de démangeaison entre les omoplates. Il décida de tout dire à Susanne sur ces traces de mocassins. Il le ferait pendant qu'ils mangeraient. Il fallait qu'elle soit au courant.

– Susie, dit-il. Ouvrez l'œil. Je vais descendre un peu plus bas pour voir si je peux découvrir quelque chose.

En fait, il fit exactement trois pas.

16

Jeudi 4 décembre,
18 h 08.

C'était comme s'il avait reçu un violent coup de marteau. Il recula d'un pas en chancelant, ouvrit la bouche pour pouvoir respirer, conscient dans le même instant du bruit très fort de la double détonation, de la douleur intense à son ventre et de l'odeur de la poudre brûlée. Derrière lui, il entendit Susanne crier. Il avait porté sa main gauche à son ventre sans que ce soit un effet de sa volonté. Sa main droite cherchait à atteindre le pistolet qu'il portait dans son étui de ceinture sous sa veste : un geste tout aussi réflexe. Au moment même ou elle s'était produite, ses yeux avaient vu d'où était venue l'attaque : ils avaient détecté un mouvement subit jaillissant des rochers juste devant lui et l'éclair du projectile qui fonçait sur lui. Il semblait impossible qu'il ait pu voir la balle. Il semblait impossible aussi que le coup de feu ait été tiré de la paroi même du rocher. Il tenait maintenant son pistolet dans la main droite, mais il n'y avait pas de cible. Il n'y avait personne. Puis il se rendit compte que sa main gauche touchait quelque chose. Dépassant de sa chemise juste au-dessus de son nombril, elle venait de trouver un tube de métal. Il baissa les yeux pour le regarder, incrédule tout d'abord puis essayant de comprendre ce qu'il voyait.

Dépassant de son ventre il y avait un cylindre en aluminium terne qui était la cause de l'odeur de poudre brûlée ainsi que de la douleur qu'il ressentait. A la base était attaché un fil de laine rose. D'un geste que commandait le dégoût, Leaphorn arracha ce cylindre de son ventre. Il tressaillit sous le coup de la douleur ravivée. Le cylindre ne pénétrait plus dans sa chair maintenant, mais il s'était pris dans l'étoffe rude de sa chemise kaki. Il l'arracha d'un coup sec.

– Qu'est-ce qui s'est passé ? lui cria Susanne. Qu'est-ce qu'il y a ?

Rougie par le sang de Leaphorn, une aiguille hypodermique en acier, d'un diamètre moitié moins grand que celui d'une paille, dépassait de trois centimètres au bout du cylindre. Celui-ci était chaud et sentait la cordite. Leaphorn le regardait fixement sans comprendre. Son doigt trouva le petit crochet qui s'était pris dans l'étoffe de sa chemise. Et alors il comprit ce que c'était qui l'avait atteint. C'était une fléchette hypodermique telle que les utilisent les zoos, les gardes chargés de la protection du gibier, les vétérinaires et les spécialistes en biologie animale. En six pas rapides il descendit jusqu'aux rochers. Soigneusement coincée dans une crevasse masquée par des feuilles mortes, se trouvait une carabine à air comprimé pourvue d'un second canon monté au-dessus du premier. Un fil de cuivre était attaché à la détente.

Susanne était maintenant à côté de lui et regardait le cylindre.

– Qu'est-ce que c'est ? demanda-t-elle.

– J'ai déclenché un genre de piège et ce truc-là m'a atteint. C'est avec ça qu'on abat les animaux sauvages quand on veut les capturer sans les tuer.

Leaphorn déboutonna sa chemise et écarta l'étoffe suffisamment pour pouvoir observer la blessure. Le trou laissé dans sa peau sombre lui parut incroyablement petit. Il n'en suintait qu'un tout petit peu de sang. Mais quelle sorte de sérum avait donc été ainsi injecté dans son corps ? Une certaine panique se mêlait à la douleur rien que d'y penser. Il avait besoin de quelques instants pour pouvoir l'envisager.

– C'est comme ça que ça marche : le cylindre est éjecté par du gaz carbonique comprimé ou, dans certaines armes, par de la poudre. Et quand ça frappe l'animal, il y a dans le cylindre une seconde petite charge de poudre qui explose et pousse le sérum dans l'aiguille puis dans... dans ce qu'on a visé.

– Du sérum ? Quel genre de sérum ? demanda Susanne dont les yeux étaient équarquillés. Qu'est-ce que ça va vous faire ?

Leaphorn, maintenant, pouvait se poser cette question.

– Considérons que c'est ce qu'on injecte aux animaux. Alors il faut faire vite.

Il jeta autour de lui des regards presque affolés, s'élança dans le chemin puis fit demi-tour pour retourner à la falaise.

– Ici, dit-il en tendant le doigt. Nous allons nous installer dans ce renfoncement de la paroi.

Son pied glissa à deux reprises en escaladant l'amoncellement de rochers sous la muraille de la mesa puis il s'écroula sur le sable de l'autre côté. Il inspecta rapidement l'endroit. S'il avait eu plus de temps, il aurait trouvé quelque chose de mieux, peut-être une cachette tout à fait sûre. Ici, l'homme les trouverait, et sur le devant l'accès était trop dégagé. Mais au moins ils étaient protégés sur l'arrière et les côtés. Et rien ne pouvait les atteindre d'au-dessus.

– Qu'est-ce que...

– Ne parlez pas, l'interrompit Leaphorn en lui tendant son arme. Je vais être en dehors du coup d'ici une minute, alors écoutez-moi. Voici comment ça fonctionne.

Il lui expliqua comment viser, faire feu et recharger, et lui montra la dizaine de munitions qu'il portait dans sa ceinture.

– Celui qui a préparé ce piège l'a entendu fonctionner, ou alors il va venir voir ; il saura qu'il a touché quelqu'un et il nous trouvera. Il va falloir que vous restiez sur vos gardes. Quand il arrivera tirez-lui dessus.

Une vague de nausée l'envahit et il leva la main pour se frotter le front. Contrôler ce geste lui demanda un intense effort de concentration.

– Essayez de le tuer, reprit-il en s'entendant parler d'une voix qui lui sembla pâteuse et pleine de rage. Si vous ne l'empêchez pas d'approcher, je crois qu'il nous tuera. Je crois qu'il est fou.

Il éprouvait beaucoup de difficultés maintenant à contrôler sa langue.

190

– Ce truc me paralyse. Je crois que ça passe après quelques heures, et tout ira bien alors. Faites attention que je ne m'étouffe pas si je bascule, que je n'avale pas ma langue. Et si je meurs, essayez de filer pendant qu'il fait nuit. Retournez à la route.

Parler représentait maintenant un effort considérable. Il ne sentait plus ses jambes. Il voulut remuer ses pieds : son cerveau envoya l'ordre mais rien ne se produisit.

– Ne vous perdez pas, dit-il. La lune se lève à l'est, se couche à l'ouest. Essayez....

Sa langue refusa de se détacher de ses dents pour former un son de plus.

Quand il lui fut devenu impossible de parler, quand il lui fut devenu impossible de faire quoi que ce soit, la panique l'envahit... un rêve effrayant, dans lequel il suffoquait, se noyait irrémédiablement dans les humeurs que secrétait son propre corps. Il combattit cette panique avec acharnement, reprenant le contrôle de son esprit puisqu'il ne pouvait plus avoir celui de son corps. Elle s'en alla aussi rapidement qu'elle était venue. Le calme lui succéda et il étudia les effets de la drogue. Elle semblait maintenant avoir provoqué une paralysie presque totale de tous les muscles commandés par le cerveau, sans affecter les mouvements involontaires : les clignements d'yeux, la contraction puis l'expansion rythmées des poumons. Leaphorn observait tout cela avec un curieux détachement. Il essaya de se souvenir de ce qu'on lui avait dit sur cette manière de neutraliser les animaux. Les drogues paralysantes doivent empêcher les ordres partis du cerveau d'atteindre les muscles. Autrement, si tous les muscles étaient paralysés, la respiration s'arrêterait. Il semblait garder l'esprit clair (exceptionnellement clair, en fait) et il entendait parfaitement. Mais il ne pouvait pas bouger. C'était comme si son cerveau avait été partiellement déconnecté de son corps : ses yeux, ses oreilles et ses nerfs lui transmettaient toujours des stimuli, mais il était incapable d'y réagir par des ordres suivis d'effet.

Combien de temps allait durer cette paralysie ? Il se rappela d'un film qu'il avait vu à la télévision sur la vie des animaux sauvages : un rhinocéros avait reçu une fléchette de ce type afin qu'un biologiste puisse l'examiner. Qu'est-ce qu'ils avaient dit ? Plusieurs heures, pensa-t-il. Cela fait combien, plusieurs ? Quel effet cela pouvait-il avoir sur un homme ? Et quel genre de drogue avait été utilisé ? Cela ne le mènerait nulle part de se poser ce genre de questions. Il se tourna vers d'autres pensées, impressionné par la clarté avec laquelle son esprit fonctionnait. Impressionné également par la taille immense de la lune qui émergeait à l'est au-dessus de l'horizon. Susanne avait cessé d'essayer de lui parler, se rendant compte qu'il ne pouvait pas lui répondre. Elle était assise à côté de lui, le dos tourné vers l'obscurité. Où l'homme avait-il trouvé ce matériel ? Leaphorn se dit que ça n'avait pas dû être difficile. Les maisons spécialisées dans les fournitures pour vétérinaires vendaient des fusils à fléchettes et des sérums. Peut-être une ordonnance était-elle nécessaire pour la drogue. Leaphorn se dit que même si c'était le cas, pratiquement n'importe quel éleveur, garde forestier ou zoologiste pouvait se procurer ce produit.

Il s'aperçut, avec une légère surprise, qu'il

entendait la respiration de Susanne. Une inspiration un peu rauque suivie d'une expiration qui ressemblait à un soupir. Il entendait avec une acuité étonnante. Quelque part sur la falaise au-dessus d'eux, un oiseau de nuit bougeait. A une très grande distance sur la mesa, un coyote aboya à deux reprises puis poussa des trémolos [1]. Et quelque part devant eux, quelque part de l'autre côté de l'écran de broussailles et de genévriers sur cette colline rocheuse, il y avait des bruits de pas humains. C'étaient des pas lents, avançant avec précaution : les pas d'un chasseur aux aguets. Leaphorn s'aperçut que c'était avec une certaine désinvolture qu'il regrettait de ne pouvoir commander à sa langue d'avertir Susanne de ce danger. A un autre niveau de conscience, il s'étonna de cette absence de peur, de cet immense gain en acuité auditive et de cette curieuse impression de détachement. Il se souvint d'une sensation similaire ressentie bien des années auparavant, un jour où Tom Bob, Blackie Bisti, un autre étudiant Indien et lui-même avaient pris part à une cérémonie de la Native American Church et où il avait connu le goût amer du bouton de peyotl rituel. Il s'aperçut qu'il pouvait clairement se remémorer cet épisode dans ses moindres détails. Il se trouvait dans la pièce remplie d'une fumée âcre provenant d'un encens inconnu, il voyait la sueur qui faisait une tache sombre dans le dos de la chemise de Blackie, revivait tout. L'odeur de renfermé de la pièce, la psalmodie du prédicateur

---

(1) Le coyote en effet aboie, chante aussi, seul ou en chœur, dans la nuit, ce qui a donné naissance à de nombreuses légendes.

Kiowa * et son visage sévère tandis qu'il leur donnait ses instructions. Il écoutait à nouveau son sermon, se disant aujourd'hui comme hier qu'il contenait un curieux mélange de christianisme, de mysticisme et de nationalisme Panindien. Et, aujourd'hui comme hier, Leaphorn en eut rapidement assez. Il quitta la pièce enfumée, dérivant dans l'espace et le temps, et se retrouva sous la lune qui se rapprochait ; elle était maintenant si près de lui, si large, que sa forme jaune sombre emplissait tout son crâne d'un froid intense. Il ne voyait plus qu'elle. Il n'y avait plus que la lune dans son champ de vision, un immense disque de glace qui palpitait dans le noir du ciel. Et Susanne se mit à lui parler. Le murmure de sa voix résonna dans sa tête comme le tonnerre, les mots qu'elle prononçait paraissant étrangement détachés les uns des autres.

– M. Leaphorn, est-ce que vous m'entendez ? Je crois bien qu'il y a quelque chose là-bas. Je crois bien que j'entends quelque chose. M. Leaphorn ! *M. Leaphorn !*

Sa main était sur sa poitrine, son visage tout près du sien, ses cheveux masquaient le disque jaune, la peur dans ses yeux, son visage presque envahi de panique. Et d'autres mots.

– M. Leaphorn. Ne mourez pas, je vous en supplie.

Oh non, pensa Leaphorn, je ne mourrai jamais.

Mais peut-être allait-il mourir. Il entendait clairement le chasseur se déplacer. Il se tenait derrière la masse grise indistincte du genévrier et de l'arbuste épineux que le clair de lune argentait. Puis il bougea à nouveau, se rapprocha. Il s'arrêta derrière le genévrier à la branche cassée. Et là, maintenant, dans l'obscurité atténuée par la lumière de la lune, il y avait la tête de la créature qui faisait entendre ces craquements en marchant. Visiblement c'était un oiseau. Peut-être un oiseau disparu depuis l'époque où l'Homme de Folsom avait chassé par ici. Bien plus grand que n'importe quel oiseau existant, étrange, et ayant une expression furieuse. Ses yeux ronds, vides et morts ressortaient dans une tête qui était noire, jaune et bleue, mais surtout noire. Il s'aperçut que les orbites était vides. La tête de l'oiseau était creuse. Et puisqu'elle était creuse, il devait être mort. Et cependant il bougeait. Au sommet du crâne ondulait le plumet abondant, et le bec rigide dépassait au-dessus d'une branche de genévrier et réfléchissait la lumière de la lune.

A côté de lui, il entendit Susanne retenir son souffle et émettre un son étouffé. Elle leva la main qui tenait le pistolet : il vit voler la lune en éclats dans un grand éclair de lumière et un bruit de tonnerre. Maintenant il y avait l'odeur de la poudre. L'écho s'éloigna en se répercutant sur la muraille de la mesa. Boum. Boum. Boum. Boum. Il finit par se fondre dans les autres bruits de la nuit et s'éteignit tout à fait. L'oiseau n'était plus là maintenant. Leaphorn n'entendait qu'un bruit de pleurs. Sa main glissa de sur sa jambe et tomba sur le sol. Pendant un moment, il fit appel à sa volonté pour qu'elle se soulève du sol rocheux et reprenne sa place. Mais la main resta là, inerte, et Leaphorn s'en éloigna, et il coula, se perdant de plus en plus profondément dans un rêve psychédélique éblouissant, la lune froide palpitait à nouveau dans un vide d'encre et un chasseur nu, assis sur une crête, travaillait avec une patience infinie, taillait des pointes de sagaies dans de la glace rose, les cassait, laissait tomber les fragments à terre près de lui, acceptait échec sur échec sans montrer la moindre colère.

Bien plus tard, il se rendit compte que Susanne venait de faire feu une seconde fois. Il y avait un bruit de tonnerre tout autour de lui qui obligeait la lune à reculer dans le ciel. Il avait froid. Il se dit qu'il était en train de geler. Ses mains gelaient. Il parvint à émettre une sorte de son, à mi-chemin entre un soupir et un grognement.

– Ne vous inquiétez pas, murmura la voix de Susanne près de son oreille. Votre respiration paraît normale, votre pouls est régulier et tout va bien se passer.

Elle lui prit la main, la retourna, regarda sa montre.

– Ça fait presque quatre heures maintenant, alors peut-être que le produit ne va plus faire d'effet très longtemps.

Elle le regarda droit dans les yeux.

– Vous m'entendez, n'est-ce pas ? Je le vois bien. Vous commencez à avoir drôlement froid. Vos mains sont glacées. Je vais faire un feu.

Il concentra chaque parcelle de sa volonté dans un effort pour dire « non ». Il ne parvint à émettre qu'un grognement. Le rêve psychédélique avait disparu pour l'instant et son esprit était libre de toute hallucination. Il ne fallait pas qu'elle fasse un feu. L'Homme-qui-Portait-des-Mocassins était peut-être toujours dans les parages à les guetter. Avec la lumière du feu, il y verrait peut-être assez pour leur tirer dessus. Il émit un nouveau grognement, mais cet effort l'épuisa. Susanne s'était éloignée dans l'obscurité. Il l'entendait bouger. Ramasser du bois. La lune s'était déplacée, était montée dans le ciel et avait suffisamment progressé vers le sud derrière la corniche de la mesa pour que l'ombre de celle-ci s'étende une dizaine de mètres au-delà de ses pieds. Après cette zone d'ombre, la lumière de la lune argentait le paysage gris. Rien ne bougeait. Son sens de l'ouïe semblait toujours exceptionnellement développé. Loin, très loin, il entendit à nouveau les trémolos du coyote, si atténués par la distance qu'ils semblaient descendre des étoiles. Et puis il y eut, beaucoup plus près, le bruit d'une chouette en train de chasser. L'oiseau fantastique qu'il avait vu dans son délire, l'oiseau qui avait disparu quand Susanne avait fait feu dans sa direction, devait être un masque kachina. Leaphorn réfléchit. Il savait de quel masque il s'agissait. Il reconnaissait la collerette noire qui ondulait à la place du cou, les plumes d'aigle menaçantes au sommet du crâne, le long bec droit.

Il avait déjà vu ce masque, dans le clair de lune derrière le hogan de la Toison de Jason, et aussi peint sur la fresque murale de la mission à Zuñi. C'était le Salamobia, le guerrier qui portait comme un fouet un sabre dur fait de yucca tressé. Il essaya de sonder sa mémoire pour y découvrir ce qu'il savait de ce kachina. Il y en avait deux aux cérémonies de Shalako, toujours prêts à exécuter les ordres des autres membres du Conseil des Dieux. Mais chacune des six kivas Zuñi était représentée par un Salamobia : il devait donc y en avoir six au total. Il devait alors exister six masques. Et chacun d'eux devait être jalousement gardé par le Zuñi que sa kiva avait choisi et qui s'était vu conférer l'honneur de le personnifier. Le masque avait certainement droit à sa propre pièce, à des réserves en eau et en nourriture, et l'esprit qui l'habitait était honoré par des prières.

Susanne était en train d'allumer le feu. Ayant accepté de ne pouvoir la prévenir, Leaphorn ne s'en préoccupa plus. Advienne que pourra. Il allait profiter de la chaleur. Et maintenant, pendant qu'il en était capable, il allait réfléchir. Mais plus au masque. Les vrais masques étaient gardés mais n'importe qui pouvait en fabriquer un faux.

La flamme attaqua le tas de feuilles et de brindilles en crépitant, donna une lumière jaune vacillante. La flèche avait été destinée à George. Apparemment pas pour le tuer. En tout cas, pas tout de suite. Pourquoi ? Etait-ce parce que l'homme, tout comme Leaphorn, voulait parler avec le garçon ?

Et pourquoi George avait-il emmené la vésicule du cerf ? Une fois séchée, elle serait utile comme remède, serait employée dans des rites guérisseurs. Et pourquoi prendre le gras qui était sous la peau du cerf ? A ce sujet, il y avait quelque chose dont Leaphorn devait se souvenir. Quelque chose qui était lié aux coutumes de chasse des Zuñis. Son camarade de chambre lui en avait parlé. Rounder et lui avaient comparé les mythes des origines chez les Navajos et les Zuñis, ceux du début de la vie, ceux de la migration ainsi que leurs façons de faire les choses. Il se souvenait qu'il avait été question de la chasse.

Le mythe navajo interdit de tuer l'une des soixante espèces environ qui avaient accompagné le Peuple des Origines lorsqu'il s'était échappé du

Quatrième Monde Inférieur pour atteindre le Monde de la Surface de la Terre, ce qui limitait la chasse en tout et pour tout au cerf, à l'antilope et à quelques oiseaux. La légende Zuñi racontait la longue guerre contre Chakwena, le Gardien-du-Gibier, qui avait été gagnée seulement quand le Soleil-Père avait créé les deux Dieux de la Guerre Zuñi pour conduire leur peuple. Rounder et lui avaient parlé et bu de la bière fort avant dans la nuit. Il s'obligea à raviver ses souvenirs. Rounder, avec sur son visage lunaire une expression affable avait raconté comment Père Coyote avait enseigné à Garçon Maladroit les prières qui persuaderaient le cerf que le chasseur ne lui voulait pas de mal mais qu'il lui permettrait d'évoluer vers une forme de vie supérieure. Le feu enflamma le bois sec et Leaphorn en ressentit la chaleur sur son visage. A nouveau, il eut cette étrange impression d'être détaché de lui-même. Il était en train de glisser dans un autre cauchemar hallucinatoire. Le bruit des flammes devint une suite sonore de crépitements et de craquements. Les étoiles étaient plus brillantes qu'elles n'auraient dû l'être avec une telle lune. Yikaisdahi, la Voie Lactée, le milliard d'empreintes brillantes laissées par les esprits en traversant le ciel, scintillait dans la nuit. Leaphorn se força à se concentrer. Il se représenta Rounder, légèrement éméché, qui, les deux mains autour de sa chope de bière posée sur la table et le visage sérieux, revenait à la langue Zuñi puis traduisait :

« *Cerf, cerf,*
Tu m'entends courir sur tes pas.
Des cadeaux sacrés j'apporte en courant.
Oui, oui,oui, oui. »

Il avait alors utilisé la chope de bière pous symboliser le museau du cerf, montrant comment le chasseur Zuñi aspire le dernier souffle de l'animal. Et la prière ? Que disait-elle ? Leaphorn se souvenait qu'elle était l'expression de la gratitude qui accompagne le don du Vent Sacré de la Vie. Ensuite étaient venus les détails sur la façon dont le cerf devait être préparé, sur la fabrication de la boule composée de graisse, de la vésicule, de sang provenant du cœur et de poils prélevés en des endroits bien précis, et sur les offrandes fétiches qui devaient être enterrées à l'endroit où le cerf était tombé.

Soudain Leaphorn entendit la voix imbibée d'alcool de Rounder : « Il ne faut pas manger le matin. Le chasseur affamé sent l'odeur du gibier contre le vent ». Et il vit le visage placide de Rounder sur fond de ciel juste au-dessus de l'éblouissante So'tsoh, l'Etoile du Nord, entre les constellations d'Ursa Major et de Cassiopée que les Navajos appellent l'Homme Froid du Nord et sa femme. Puis le cauchemar s'empara à nouveau de lui, pire encore qu'auparavant. Le ciel s'emplit des chindi * des morts. Ils portaient des masques en peau de cerf et leurs grands becs se fermaient avec des claquements. Il vit, debout sur un arc-en-ciel, Tueur-des-Dieux-Ennemis qui se découpait nettement sur le ciel ; mais au-dessus de lui se dressait une silhouette au large visage bleu et au grand front blanc dont la poitrine était couverte de plumes sacrées et qui tenait un bâton décoré d'obsidienne. Sans savoir comment, Leaphorn reconnut Uyuyewi, le Dieu de la Guerre Zuñi, et il fut envahi d'une crainte éperdue. Puis il y eut un visage tout contre le sien qui aspirait son souffle, qui prenait le vent de sa vie au moment où il quittait ses narines. Et ensuite, la main de Susanne sur son visage, sa voix tout contre son oreille.

– M. Leaphorn. Tout va bien. Ça va passer. N'ayez pas peur.

Une froide lumière grise était maintenant visible à l'est au ras de l'horizon. Le feu n'était plus qu'un tas de cendres chaudes et le cerveau de Leaphorn donna l'ordre aux muscles de ses épaules de réagir pour lutter contre le froid. Et il se pelotonna, et sa main, qui avait reçu l'ordre de frotter son épaule glacée, la frotta. Il était soudain tout à fait conscient ; les hallucinations n'étaient plus qu'un souvenir. Susanne était recroquevillée à côté du feu et elle dormait, le pistolet à portée de la main. Leaphorn essaya de bouger ses jambes. Elles aussi obéirent à ses ordres. Il en ressentit une joie sauvage. Il était vivant. Il était redevenu lui-même. Il essaya de se mettre debout. Y réussit. Fit deux pas en chancelant puis s'écroula bruyamment contre la falaise rocheuse. Il contrôlait très bien certains muscles mais pas tous. Le bruit réveilla Susanne.

– Hé, vous voilà guéri.

Elle avait des feuilles mortes dans les cheveux et de la poussière sur le visage. Elle avait l'air à la fois totalement épuisée et profondément soulagée.

Leaphorn ne retrouva le contrôle absolu de ses muscles qu'après le lever du soleil. Une ecchymose rouge et enflée indiquait sur son ventre l'endroit où la fléchette s'était plantée et s'était vidée de son contenu. Il se sentait faible et nauséeux. Il se dit que ça allait passer. Il avait prévu de prendre le chemin du lac et d'essayer de l'atteindre au lever du soleil, le lever du soleil du cinquième jour qui devait voir l'esprit d'Ernesto Cata arriver et se joindre au Conseil des Dieux. Mais s'il pouvait marcher un peu, il ne pouvait pas marcher droit. Par conséquent il avait dû changer ses plans et ils avaient attendu sur le pli de terrain en espérant que George Bowlegs n'avait pas été effrayé par les coups de feu tirés dans la nuit et qu'il passerait par là. George ne se montra pas. Leaphorn fit jouer ses muscles sans hâte excessive, essayant avant tout de retrouver l'usage total de ses jambes. Et il réfléchit à toutes sortes de choses. A ce qu'Ernesto Cata avait dit au Père Ingles, à la manière bizarre dont George s'était conduit, aux rites de chasse Zuñi, aux théories de Ted Isaacs sur la façon dont les chasseurs de l'Age de Pierre taillaient leurs pointes de sagaies, à Halsey et au jeune homme pâle appelé Otis dont Leaphorn pouvait maintenant beaucoup mieux comprendre les cauchemars psychédéliques. Il réfléchit à la raison pour laquelle celui qui avait tendu ce piège à George Bowlegs avait utilisé un fusil à seringue hypodermique plutôt qu'un fusil de chasse, et à d'autres choses encore. Et quand, enfin, sa cheville droite répondit exactement à ses ordres, il dit à Susanne qu'ils allaient retourner à la clairière du cerf puis regagner la voiture.

— Nous prendrons la viande dont nous avons besoin pour calmer notre faim, dit-il.

C'est ce qu'ils firent. Et après avoir préparé un feu pour faire rôtir la viande, il examina la terre autour de l'animal. Juste à côté de celui-ci, il trouva un petit trou qui y avait été creusé. Là se trouvait enterrée une boule régulière constituée d'argile, de sang, de suif, de poils et de la vésicule du cerf, l'offrande fétiche à l'animal abattu dont avait parlé Rounder. Leaphorn la prit, alla s'asseoir sur le gros rocher et là, l'ouvrit précautionneusement. A l'intérieur de la boule il trouva une turquoise, l'extrémité d'une pointe de sagaie et un petit morceau d'abalone.

17

Vendredi 5 décembre,
14 h 00.

En joignant le bout de ses doigts, John O'Malley dessina un tepee avec ses mains et regarda au-delà de Leaphorn vers le fond de la salle du Tribunal Tribal Zuñi.

– Pour nous résumer, nous ne savons toujours pas où nous pouvons mettre la main sur George Bowlegs.

Ses yeux se reportèrent sur Leaphorn. Il sourit. Une fossette se creusa dans chacune de ses joues et la peau se plissa autour de ses yeux bleus.

– J'espère que vous allez persévérer, reprit-il. Je vous adjoindrais bien quelqu'un si c'était possible. Mais tout le monde est déjà occupé. Je pense que ce gamin sait quelque chose sur la raison pour laquelle Ernesto Cata et Shorty Bowlegs ont été tués. Et je pense qu'il peut nous apprendre des choses sur cette communauté. (Ses yeux se fixèrent ailleurs et son sourire disparut). Nous tenions énormément à lui parler aujourd'hui.

Leaphorn ne dit absolument rien.

– Deuxièmement, vous pensez qu'il y a quelqu'un d'autre qui est sur les traces de George. Peut-être bien. Je ne mets pas votre parole en doute. Je peux très bien imaginer pourquoi certains pourraient souhaiter le faire taire définitivement. Mais on dirait qu'il n'est pas facile à attraper. (Le sourire réapparut). Et je suis bien désolé que vous ayez été victime de ce piège à coyote ou je ne sais quoi. Nous allons garder cette seringue. Peut-être pourrons nous déterminer d'où elle provient et qui a acheté le sérum. (Le sourire s'épanouit). Toutefois, je crois que nous allons avoir tellement de chefs d'accusation à déposer lorsque cette affaire sera résolue que nous n'aurons peut-être pas besoin d'ouvrir une enquête pour savoir qui s'est livré à cette voie de fait.

O'Malley fit disparaître le tepee en joignant les mains. Son sourire s'effaça, puis il se leva.

– Ça pourrait m'aider, si vous me teniez au courant de ce que vous avez appris, dit Leaphorn rapidement.

O'Malley le regarda avec une expression de curiosité.

– Je m'étais bien dit que quelqu'un avait reconnu Baker et savait qu'il faisait partie des stupéfiants, dit-il. C'est exact.

Le silence s'appesantit. C'était tout. Leaphorn se rendit compte avec colère et incrédulité que c'était là tout ce que O'Malley allait lui dire.

– D'accord. Alors vous pensez que la communauté sert de couverture à des livraisons de drogue, héroïne ou autre, dit-il. Et les meurtres auraient été commis pour protéger ce trafic ?

O'Malley ne dit rien.

– C'est bien cela ? insista Leaphorn.

O'Malley hésita.

– C'est une évidence, finit-il par dire. Mais nous n'avons pas encore réuni tout ce qu'il nous faut pour obtenir des inculpations. Il faut que nous parlions avec George, entre autres choses.

– Est-ce qu'il serait erroné de penser que Baker travaillait sur cette affaire avant que les crimes ne soient commis ? Et que vous en savez assez pour ne plus avoir le moindre doute ?

O'Malley sourit à nouveau.

– Je dirais que ce ne serait pas erroné.

– Que savez-vous exactement ?

Le sourire s'évanouit.

– Depuis fort longtemps notre politique consiste à donner aux officiers de police menant une enquête tout ce qu'ils ont besoin de savoir sur le domaine qui leur appartient. Mais nous ne les tenons pas tous au courant de tout ce qui peut survenir si ce n'est pas en rapport direct avec l'aspect de l'enquête sur laquelle ils travaillent. Par exemple, je peux vous dire que nous aimerions beaucoup parler à George aujourd'hui... mais je n'ai pas l'impression que ça va être possible ?

– Pourquoi aujourd'hui ?

– Demain commencent les grandes cérémonies de Shalako chez les Zuñis. Il y aura des milliers de gens par ici : des gens venus des quatre coins du

205

pays. Voilà une couverture parfaite pour celui qui doit récupérer la marchandise.

– Vous avez une idée ?

Il y eut un nouveau silence pendant que O'Malley réfléchissait. Il ouvrit la fermeture éclair du porte-document posé sur son bureau et en sortit un paquet de photographies. Certaines étaient des fiches anthropométriques. D'autres des instantanés tels que les policiers placés en surveillance en prennent à l'aide de téléobjectifs. Leaphorn reconnut Halsey sur un cliché qui semblait avoir été pris sur un campus universitaire, et le garçon pâle appelé Otis sur une fiche anthropométrique. Il y avait cinq autres personnages parmi lesquels un gros homme qui perdait ses cheveux et un jeune aux traits d'Indien qui portait un uniforme de parachutiste. Leaphorn se saisit de cette dernière photo et l'étudia.

– Si vous voyez l'un de ces lascars dans les environs demain, je veux en être informé, lui dit O'Malley.

– Ce type est un Zuñi ?

– Ouais. Il a commencé à se droguer pendant qu'il était au Vietnam et depuis qu'il est rentré il lui arrive de faire le revendeur.

Leaphorn posa la photographie sur le bureau.

– C'est ça le mobile des meurtres, alors ? demanda-t-il. Empêcher qu'un trafic de drogue soit démantelé ? Vous possédez assez de preuves pour en être sûrs ?

– Oui, dit O'Malley, nous en sommes sûrs.

– Bon, dit Leaphorn. Je vais donc essayer de vous retrouver George, c'est tout.

Pasquaanti n'était pas dans son bureau mais sa secrétaire, une petite jeune fille gaie au visage très arrondi qui arborait une quantité étonnante de bijoux dans sa coiffure en fleur de courge * selon la coutume des Hopis *, envoya quelqu'un à sa recherche lorsque Leaphorn l'eut persuadée que c'était important. Pasquaanti écouta, impassible, tandis qu'il lui parlait du kachina qu'il avait vu à la communauté, de l'ambition que George Bowlegs avait de devenir Zuñi, du mot que le garçon avait laissé à son frère et de ce qui s'était passé sur la mesa. Le Zuñi ne l'interrompit qu'une seule fois, pour lui demander de lui décrire le masque.

– Il avait une épaisse collerette de plumes autour du cou, répondit Leaphorn. Noires. Probablement des plumes de corneille ou de corbeau. Un bec d'environ quinze centimètres de long, arrondi comme le manche d'un balai. Et le masque était surmonté d'une sorte de crête de plumes ressemblant à une touffe de cheveux. Et puis il y avait un dessin sur les joues. Je crois que c'était un masque de Salamobia.

– Il y en a six, dit Pasquaanti.

Il sortit son stylo à plume et fit un rapide croquis sur une feuille de papier.

– Comme ça ?

– Oui. C'est ça.

– De quelle couleur était la tête ?

– La tête ? Elle était noire.

Pasquaanti faisait vieux, ce dont Leaphorn ne s'était pas rendu compte jusque-là.

– M. Leaphorn, je vous remercie de m'avoir dit tout cela.

– Est-ce qu'il y a quelque chose que vous, vous pouvez me dire ?

Pasquaanti réfléchit.

– Je peux vous dire que le Salamobia que vous avez vu n'en est pas vraiment un. Le noir est la couleur de Hekiapawa Kiva, la Kiva de la Taupe. Et ce masque-là est à l'abri. Il l'est en toutes circonstances. De même que les autres masques. Vous pouvez en être sûr.

– En ce cas, est-ce que quelqu'un a pu s'emparer d'un autre type de masque ?

– Il existe deux sortes de masques, expliqua Pasquaanti. Les uns sont des kachinas eux-mêmes, l'esprit kachina les habite, on leur donne à manger et à boire et on s'occupe d'eux en leur consacrant des plumes * de prières et tout ce qu'ils désirent. Ils sont...

Il marqua une pause, cherchant dans le vocabulaire anglais dont il disposait les mots dont il avait besoin.

– Sacrés, dit-il. Saints.

Il secoua la tête. Aucun de ces termes ne convenait parfaitement.

– Les autres masques sont différents, poursuivit-il. On les emprunte, on les repeint pour leur faire personnifier des kachinas différents et l'esprit ne les habite pas.

– Par conséquent quelqu'un a pu prendre l'un de ceux-là et le modifier pour qu'il ressemble à un Salamobia ?

Pasquaanti étudia cette hypothèse. Ses doigts se nouaient et se dénouaient sur son bureau.

– Il y en a parmi nous qui sont la proie du mal, finit-il par dire. Certains d'entre nous boivent, ont acquis la cupidité de l'homme blanc et ne valent rien du tout. Mais je refuse de croire qu'un Zuñi puisse prendre le masque de sa famille pour s'en servir à de telles fins.

Les deux hommes se regardèrent en silence. Ce que Leaphorn avait suggéré constituait une effroyable profanation. Pire encore, les événements s'étaient produits pendant la période la plus sacrée de l'année liturgique Zuñi : pendant les jours de la retraite sacrée qui précédait immédiatement Shalako. Si ces cérémonies ne se déroulaient pas conformément aux règles, la pluie ne tombait pas, les récoltes ne poussaient pas, et la maladie comme la malchance envahissaient la terre.

– Une dernière chose, dit Leaphorn. Je crois que George Bowlegs tient absolument à devenir Zuñi. Ce n'est peut-être pas possible, mais lui y croit. A mon avis il s'est rendu à votre lac sacré parce qu'il voulait parler à votre Conseil des Dieux. Et d'après ce qu'il a dit à son jeune frère, je pense qu'il va venir pour Shalako et il n'est pas impossible qu'il fasse quelque chose. Je pense qu'il serait bon que les gens de votre peuple soient prévenus.

– Entendu.

– Quant à l'homme qui portait le masque, il a été suffisamment intelligent pour deviner où était George. Il sera suffisamment intelligent pour le deviner une seconde fois.

– Nous le guetterons aussi, dit Pasquaanti.

Sa voix était menaçante. Elle rappela à Leaphorn quelque chose que Rounder lui avait dit des années auparavant : dans la mythologie Zuñi, le châtiment du sacrilège était la mort.

18

Samedi 6 décembre,
16 h 19.

Le lieutenant Joseph Leaphorn passa l'après-midi
sur la crête qui domine le village de Zuñi, au sud de
celui-ci. Il l'avait choisie après mûre réflexion.
L'endroit était relativement confortable : ses fesses
reposaient sur de la terre meuble et il y avait une
dalle de grès plate qui lui servait de dossier. Grâce à
un buisson épineux touffu et à un pin noueux, il
était peu vraisemblable que quelqu'un le voie et se
demande ce qu'il pouvait bien faire là-haut. Et la
vue qu'il avait était idéale pour ce qu'il voulait. Sur
sa gauche, ses jumelles couvraient la vieille piste qui
suivait le Zuñi Wash en venant du sud-ouest. Sur sa
droite, il dominait une route de la réserve,
récemment nivelée, qui obliquait au pied de Greasy
Hill à la limite du village, contournait le cimetière
Zuñi et filait vers le sud. Ces deux routes
constituaient les voies d'accès les plus directes entre
la mesa où George Bowlegs avait tué le cerf et le
village de Zuñi où avaient lieu les cérémonies de
Shalako. George pouvait emprunter bien d'autres
chemins pour venir, si toutefois il venait ; entre
autres, il pouvait laisser son cheval, marcher jusqu'à
la route goudronnée et faire de l'auto-stop. Mais
Leaphorn voyait mal ce que lui pouvait faire d'autre
que de rester assis là afin d'avoir les meilleures
chances de le voir. Tenter d'intercepter Bowlegs ne
représentait que l'une des raisons de sa présence ici.

Il y avait aussi la possibilité qui lui était ainsi offerte de réfléchir. Il avait besoin de beaucoup réfléchir.

L'ecchymose enflée de son abdomen lui rappelait la première énigme. Pourquoi le piège avait-il été tendu afin d'attraper George Bowlegs et non afin de le tuer ? Cata et Shorty Bowlegs avaient été éliminés sans scrupules ni hésitations. Pourquoi pas George ?

Il appuya son dos contre le rocher, se tortilla pour trouver une position plus agréable. Au-dessus de lui, le ciel virait au gris. Les nuages avaient commencé à s'assembler vers midi. Ça n'avait d'abord été qu'un signe d'humidité très haut dans le ciel, une mince couche de cristaux de glace stratosphérique qui avaient dessiné un halo scintillant autour du soleil. Puis, du nord-nord-ouest, était venue s'installer lentement une grisaille semi opaque et la lumière du jour avait graduellement perdu son éclat.

Pourquoi pas George ? Leaphorn sentit sur sa joue l'infime caresse de la brise. Une brise froide. Tout avait été d'un calme absolu. Chaque année pour Shalako les femmes de Zuñi s'adonnaient à une débauche de cuisine qui avait atteint son apogée au cours de la matinée. Maintenant, la plupart des fours, à l'extérieur des maisons, refroidissaient. Mais une mince couche de fumée bleue flottait toujours dans l'air au-dessus du pueblo. Elle formait un voile léger qui allait au nord-ouest jusqu'aux Zuñi Buttes et à l'est jusqu'au château d'eau peint de couleur criarde de Black Rock. Même là où Leaphorn se trouvait, bien au-dessus de la vallée et à environ huit cents mètres de distance, ses narines reconnaissaient l'odeur diffuse de la cuisson du pain et le parfum de la résine de pin brûlée.

Les vastes bas-côtés de la route 53 étaient déjà encombrés de voitures, de petits camions et de camping-cars. Les Zuñis qui s'étaient dispersés ici et là (sur les campus universitaires, sur leur lieu de travail en Californie ou à Washington) étaient revenus chez eux. Ceux qui se surnommaient eux-mêmes la Chair de la Chair étaient à nouveau attirés vers le lieu de leur naissance pour le grand Retour des esprits ancestraux.

Et avec eux étaient venus des curieux, des touristes, des dilettantes que les Indiens passionnaient, des ethnologues, des étudiants, des hippies et d'autres Indiens. Dans la foule il y avait les habitants de Pueblos Frères des Zuñis : ceux d'Acoma, Laguna, Zia, Hopi, Isleta, Santo Domingo, des hommes qui étaient des prêtres dans leurs propres kivas, qui étaient eux-mêmes des connaisseurs de la métaphysique de la nature, des hommes qui avaient leurs propres Dieux Danseurs et qui venaient partager la magie ancestrale de leurs cousins. Et, bien sûr, des Navajos. Venus de leurs hogans isolés avec femme et enfants. Plus grands, avec des traits saillants, portant des Levi's, regardant avec un mélange de respect craintif envers les pouvoirs de ces Faiseurs de Pluie, et de ce mépris qu'a l'homme de la campagne pour l'habitant de la ville.

Leaphorn soupira. Normalement, le village de Zuñi abritait environ 3.500 des 4.500 Zuñis. Ce soir, sept ou huit mille personnes allaient s'y entasser. Comme O'Malley l'avait dit, c'était le seul moment où un étranger venu pour verser de

212

l'argent ou pour récuperer de l'héroïne pouvait le faire sans courir le risque qu'on le remarque. La colère de Leaphorn envers O'Malley s'était apaisée maintenant, elle n'avait pas résisté à cette habitude qu'il avait de trouver une cause à chaque action. O'Malley ne serait pas un agent du FBI si son cerveau ne fonctionnait pas suivant le schéma conforme à la norme du FBI. De toute évidence il y avait quelqu'un du FBI qui s'était intéressé à Halsey ou à la communauté de Halsey avant les meurtres. Cela devait obligatoirement déteindre sur la pensée de O'Malley. Il valait mieux que Leaphorn se concentre sur d'autres choses. Pourquoi n'était-ce pas un fusil de chasse qui avait été utilisé pour le piège destiné à Bowlegs ? Ou pourquoi la seringue n'avait-elle pas été remplie de cyanure ? Il réfléchit à tout cela, ne trouva pas de conclusion et reprit l'affaire depuis le début : depuis lundi, au moment où il était arrivé dans le bureau de Ed Pasquaanti. A partir de là il suivit l'ordre chronologique, s'arrêtant sur chacun des points étranges qui l'intriguaient.

Il régnait maintenant une certaine activité dans le village : les gens se rassemblaient dans la rue qui longeait le Zuñi Wash du côté du Vieux Village. Leaphorn regarda. Dans ses puissantes jumelles provenant des surplus de la marine, il vit un garçon qui n'avait qu'une étoffe autour des reins traverser la passerelle derrière un homme portant des vêtements en daim blanc. Le masque et le corps du garçon étaient noirs, parsemés de points de couleur rouge, bleue, jaune et blanche, et il ne portait qu'une seule plume au sommet de la tête. Leaphorn savait qu'il s'agissait du Petit Dieu du Feu, Shulawitsi, qui entrait dans le Vieux Village pour y

213

procéder à l'inspection cérémonielle du lieu sacré avant l'arrivée du Conseil des Dieux. Ernesto Cata était mort mais le Petit Dieu du Feu vivait. Le Clan du Blaireau avait désigné un autre de ses fils pour personnifier l'esprit éternel.

L'après-midi était bien avancée. Leaphorn surveillait les routes et s'appliquait à réfléchir. Dans le village, l'activité était devenue plus intense. Le son des tambours et des flûtes qui signalait sans doute l'arrivée du Conseil des Dieux parvenait à peine à ses oreilles dans l'air froid. Les esprits ancestraux descendirent de Greasy Hill en dansant, dépassèrent le réservoir d'eau du village peint en blanc. Certains étaient visibles dans ses jumelles. Le Dieu du Feu, une branche de cèdre [1] embrasée à la main. Puis Saiyatasha, le Dieu de la Pluie du Nord que l'on appelait Longue Corne à cause de la grande corne incurvée qui avançait sur le côté droit de son masque noir et blanc : c'était un homme robuste, vêtu d'une chemise en daim blanc et d'une jupe bleue et blanche, qui tenait un arc dans une main et dans l'autre un grelot fait avec des os de cerf. Et derrière lui venait Hu-tu-tu, qui amenait les pluies du sud et dont le masque n'avait pas de corne. Avec Hu-tu-tu, les deux Yamuhaktos : les trous qui indiquaient leurs yeux et leur bouche conféraient à leur masque une expression un peu naïve de surprise enfantine. Et, les suivant partout, deux Salamobias avec ce même visage au bec féroce que Leaphorn se souvenait avoir vu dans son cauchemar. Dans chaque main ils portaient une sorte de

---

(1) Arbuste différent des cèdres d'Asie et d'Afrique.

fouet lourd et pointu constitué de feuilles de yucca. La foule se tenait à distance respectueuse.

La procession disparut dans le village. Le soleil était maintenant caché derrière la couche de nuages qui s'épaississait. Il faisait de plus en plus froid. Dans la vallée, deux breaks et un petit camion quittèrent la route du cimetière et déversèrent plus d'une douzaine d'hommes avec tout leur attirail. Plusieurs d'entre eux portaient des jupes et des calottes en daim blanc. Ce devaient être ceux qui allaient personnifier les Shalako, et leurs aides. Le groupe disparut derrière la pente.

Leaphorn plongea la main dans sa poche et en ressortit la turquoise, l'abalone et l'extrémité de la pointe de sagaie. Tous trois étaient des objets auxquels Navajos comme Zuñis attachaient une signification religieuse. Femme-qui-Change avait enseigné aux Navajos l'utilisation des gemmes et des coquillages dans leurs rites guérisseurs. George avait donné en offrande à l'esprit du cerf les fétiches appropriés. Et il en allait de même pour la pointe de silex. Leaphorn ne savait pas très bien quelle valeur les Zuñis attribuaient à de telles reliques des cultures anciennes, mais les Navajos considéraient que tout objet utilisé par les Anciens avait un pouvoir guérisseur. Quand il était jeune, Leaphorn essayait de trouver des reliques semblables. Il en découvrait, emportées au milieu des cailloux dans le fond des arroyos, mises à jour sur le versant des collines où les Grandes Pluies s'étaient abattues en emportant des siècles de poussière, ou encore exposées entre des touffes d'herbe là où le Peuple du Vent avait creusé des nids de poule dans la terre desséchée. Il les donnait à son grand-père et son grand-père lui

215

apprenait un autre des chants de la Voie de la Nuit, ou une histoire du Peuple Sacré. Peut-être George avait-il trouvé cette pointe de sagaie de la même manière. Ou peut-être que Cata et lui l'avaient volée sur le site des fouilles et que, en dépit de leurs certitudes, Reynolds et Isaacs ne s'en étaient pas aperçus. Cela paraissait tout de même peu probable. C'était un trop bel exemple du travail des hommes de l'Age de Pierre. A moins que...

Le fragment de silex qui se trouvait dans la paume de Leaphorn devint une sorte de pièce maîtresse autour de laquelle toutes les autres pièces du puzzle se mirent en place, expliquant parfaitement pourquoi Cata avait dû mourir. Tout à coup Leaphorn savait pourquoi le piège destiné à George n'avait pas été mortel, savait ce qui s'était passé dans le hogan de Shorty Bowlegs et pourquoi ce dont George avait parlé à son frère concernant un vol mineur avait été contredit par Reynolds et Isaacs. Il resta assis, figé sur place, redonnant à tout cela un ordre chronologique précis, cherchant des points faibles, assignant une cause logique à chacune des actions qui lui avaient paru irrationnelles. Il savait maintenant pourquoi deux meurtres avaient été commis. Et il savait qu'il ne pouvait pas le prouver, qu'il ne le pourrait probablement jamais.

Du bas de la colline monta le son des tambours, des grelots, et une sorte de hululement. Les Shalakos émergèrent : les messagers des Dieux Zuñis. Les six gigantesques personnages cérémoniels. Leaphorn avait oublié combien ils étaient imposants. Il évalua que jusqu'au sommet de la rangée de plumes d'aigle qui couronnait leur tête d'oiseau ils avaient trois mètres de haut : ils étaient si grands que les jambes humaines qui les portaient sous les vastes jupes à cerceau semblaient grotesquement hors de proportion. Ces oiseaux gigantesques traverseraient le Zuñi Wash au coucher du soleil et seraient escortés jusqu'aux maisons qui avaient été préparées à leur intention. Les danses sacrées et les festivités se poursuivraient jusqu'à l'après-midi du lendemain.

Leaphorn se releva, épousseta le sable sur son uniforme et commença à descendre la pente qui menait au village de Zuñi. En ce moment indistinct qui hésite entre le jour et la nuit, la neige se mit à tomber. Une neige épaisse, à demi fondue, porteuse de vie. Une fois de plus les Shalako avaient fait venir les nuages et apporté à leur peuple la bénédiction de la pluie. L'esprit de Leaphorn appréciait cette harmonie, mais il lui disait également de se dépêcher. Hier, le meurtrier avait eu besoin de George Bowlegs vivant. Mais s'il venait à Shalako, George Bowlegs devrait mourir.

19

Dimanche 7 décembre,
2 h 07.

A une heure du matin, Leaphorn conclut qu'il était tout à fait improbable qu'il puisse trouver George. Inlassablement il avait rôdé dans tout le village, avait joué des coudes pour traverser la foule qui se serrait à l'intérieur de chacune des maisons cérémonielles et avait scruté les visages d'un œil attentif. La nature même des rites multipliait la difficulté de sa tâche. Par tradition, chaque maison ne pouvait accueillir plus de deux Shalako. D'autres maisons encore devaient être préparées pour Saiyatasha * et son Conseil des Dieux, et pour les dix Koyemshi *, les clowns sacrés. Trois de ces maisons se trouvaient dans la partie la plus ancienne du village, sur la colline surpeuplée qui dominait le Zuñi Wash. Deux se trouvaient de l'autre côté de la route où un nouveau quartier du village entourait l'école catholique. Non seulement la foule était ainsi fragmentée, mais les gens allaient et venaient d'une maison à l'autre. Leaphorn avait suivi ces mouvements, avait scruté les rues sombres, étudié les groupes rassemblés autour des véhicules, s'était frayé un passage dans les galeries de spectateurs archicombles et au milieu des gens qui s'agglutinaient pour manger du ragoût d'agneau, des pêches en conserve et des galettes * dans les cuisines Zuñi, cherchant sans relâche le visage qu'il avait vu sur la brochure de l'école et qu'il avait gravé dans sa mémoire.

A un moment, dans la maison du Shalako située près de l'école Saint-Antoine, il avait vu Pasquaanti qui semblait tenir un rôle dans ces cérémonies. Leaphorn avait fait signe au Zuñi, lui indiquant de le rejoindre au dehors dans la nuit, et il lui avait exposé rapidement et brièvement ses conclusions concernant l'auteur du meurtre d'Ernesto Cata. Pasquaanti l'avait écouté en silence, et, pour tout commentaire, avait hoché une fois la tête. Plus tard Leaphorn avait repéré Baker, pelotonné dans un volumineux manteau à col de fourrure, appuyé contre l'un des poteaux du porche de la maison où dansait le Conseil des Dieux. Baker avait jeté un regard sur Leaphorn, le regard de quelqu'un qui ne l'avait jamais vu, puis avait détourné les yeux. De toute évidence il ne voulait pas être vu en train de parler à quelqu'un qui portait l'uniforme de la Police Navajo. Leaphorn demeura quelques minutes à bonne distance du porche et observa avec intérêt. Tout près de là il y avait un espace où s'entassaient des véhicules de toutes sortes. Baker donnait l'impression d'avoir bu et d'avoir sommeil, les deux peut-être. Il regardait un jeune homme qui, à la porte arrière d'un camping-car, discutait avec une jeune femme enveloppée dans une épaisse couverture de laine. Leaphorn ressentit l'envie soudaine d'aller trouver Baker, de l'attraper par les revers de son manteau, de tout lui raconter sur Bowlegs et de lui demander d'oublier sa chasse à l'homme pendant une heure et de l'aider à trouver le Navajo. Baker ferait certainement preuve de beaucoup d'efficacité, de rapidité, d'intelligence et de vivacité d'esprit. Mais cette envie s'évanouit presque aussitôt. Baker se contenterait de lui adresser son petit sourire niais et refuserait de détourner son attention de celui qu'il traquait. Leaphorn se dit qu'il n'aimerait pas avoir Baker à ses trousses.

A une heure du matin, lorsque Leaphorn en arriva à la conclusion qu'il ne trouverait pas Bowlegs, il était sur la galerie de gauche de l'une des maisons Shalako de la colline. L'ecchymose de son ventre l'élançait sans répit. Ses yeux le brûlaient à cause du tabac, de l'encens et du manque d'aération.

219

Il avait fini par réussir à se glisser jusqu'à la longue fenêtre qui dominait les spectateurs entassés en-dessous de lui, sur des bancs et des chaises, dans la pièce dont le sol était en terre battue. Il avait scruté attentivement tous les visages qu'il distinguait dans la galerie située en face de lui. Maintenant il était appuyé lourdement sur le rebord de la fenêtre et il laissait son esprit et ses muscles se relâcher. Il était très fatigué. Presque en-dessous de lui, légèrement sur sa gauche, il y avait un autel en bois à la base duquel se dressaient des rangées de plumes de prière. Juste à côté, les musiciens jouaient du tambour et de la flûte sur un rythme au contrepoint compliqué qui ne semblait jamais se répéter. Et dans un creux de plus d'un mètre de profondeur pratiqué dans le sol afin que cela lui soit possible dansait le Shalako géant.

Là où Leaphorn se tenait, à côté de la fenêtre de la galerie surélevée, ses yeux étaient presque au même niveau que ceux de l'immense oiseau. Le bec de celui-si se ferma bruyamment, fit entendre une demi-douzaine de claquements secs qui s'accordè-rent parfaitement au rythme des tambours. Il émit un hululement et ses yeux étranges cerclés de blanc regardèrent un instant droit dans les yeux de Leaphorn. Le policier voyait le Shalako de deux façons différentes. Il voyait un masque qui était une merveille d'ingéniosité technique, un ensemble composé de cuir, de coton brodé, de bois sculpté, de plumes et de peinture, maintenu en l'air au sommet d'un bâton, et dont le bec et les mouvements étaient commandés par le danseur qui se trouvait dessous mais il voyait également Shalako, le messager entre les dieux et les hommes qui, lorsque le peuple Zuñi

220

l'appelait, apportait la fertilité aux semences et la pluie au désert, et qui venait en ce jour important pour être nourri et fêté par son propre peuple. Il dansait, s'inclinait vers le sol de terre battue ; sa crête de plumes vibrait tel un éventail, la lumière scintillait sur ses grandes cornes et il lançait l'appel hululé des oiseaux de nuit.

Il y eut un changement soudain dans la cadence de la musique. La voix des chanteurs se fit plus aiguë. L'un des Koyemshi avait rejoint le Shalako. Ils étaient surnommés les Têtes Boueuses. Leur corps était couvert d'argile rose et leur masque leur faisait une tête anormale, sans cheveux, bosselée, avec de minuscules yeux cerclés et une bouche en cul-de-poule. Ils représentaient les fruits dégénérés et anormaux de l'inceste : le suprême tabou tribal. Les premiers Koyemshi, dans le souvenir que Leaphorn avait gardé de cette mythologie, étaient nés de l'union du fils et de la fille de Shiwanni, le Soleil Père. Il avait chargé ses enfants d'aller aider les Zuñis dans leur quête du Milieu du Monde, mais le garçon avait eu des relations sexuelles avec sa sœur. Et au cours de la même nuit, dix enfants étaient nés. Le premier était normal, et il était devenu l'ancêtre des faiseurs de pluie. Mais les neufs suivants étaient anormaux et fous. Léaphorn pensait à tout ça et sa tête bourdonnait de fatigue. Les Têtes Boueuses représentaient le mal et pourtant ils constituaient sans doute la fraternité la plus prestigieuse de ce peuple. Les hommes choisis pour personnifier les dix Koyemshi tenaient ce rôle pendant toute une année. Ils participaient à l'élaboration des maisons cérémonielles et étaient soumis tout au long de l'année à une série de retraites, de jeûnes et de danses rituelles. Ce rôle exigeait tellement de temps qu'il n'était pas rare qu'une Tête Boueuse soit obligée de quitter son emploi pendant un an et soit prise en charge par les villageois.

Leaphorn les regardait danser. En dépit de la neige qui tombait au-dehors, ils ne portaient sur leur corps nu qu'une étoffe noire qui ceignait leurs reins, un foulard autour du cou, des mocassins et leur masque. Leur danse était complexe : leurs pieds étaient animés de mouvements vifs et précis, les bourses en daim remplies de graines battaient contre leurs flancs trempés de sueur, leurs mains agitaient des bâtons ornés de plumes et leurs voix s'élevaient dans des hurlements de triomphe puis retombaient l'instant d'après dans le récit rythmé de la saga de leur peuple.

Leaphorn parcourut à nouveau la foule du regard. En bas il y avait surtout des femmes : des Zuñis parées de leurs plus beaux vêtements de cérémonie, quelques Navajos ici et là, et une jeune fille blonde au visage gris de fatigue mais aux yeux brillants d'intérêt. Sur la droite de Leaphorn, deux jeunes Navajos s'étaient frayé un passage jusqu'à la fenêtre. Ils parlaient d'un jeune homme blanc qui avait des tresses, portait un bandeau autour du front et une lourde ceinture avec une grosse fermeture en argent.

— A mon avis, c'est un Indien albinos, disait l'un d'eux. Demande-lui s'il peut dire quelque chose en navajo.

Il parlait suffisamment fort pour que le Blanc puisse l'entendre.

— Moi, je pense que c'est un Apache, dit le second. Il a trop le type indien pour être Navajo.

222

Leaphorn vit qu'ils avaient bu. Ils n'étaient pas tout à fait ivres, mais assez éméchés pour franchir la limite qui sépare la plaisanterie de la grossièreté. S'il n'avait pas été aussi fatigué, et s'il n'avait rien eu de plus important à faire, il les aurait fait sortir à l'air frais pour les dégriser. Mais au lieu de cela c'était lui qui allait sortir de cet endroit où George Bowlegs n'était visiblement pas, et qui allait retourner à la Maison de Longue Corne * pour y jeter à nouveau un coup d'œil. Au moment où il prenait cette décision, il aperçut George Bowlegs.

Le garçon était de l'autre côté de la pièce, dans la galerie d'en face. Il donnait l'impression d'être debout sur quelque chose, une chaise peut-être, et il regardait au-dessus des têtes de ceux qui s'appuyaient contre le rebord de la fenêtre, contemplant, presque droit dans la direction de Leaphorn, le Shalako qui s'inclinait vers le sol. Leaphorn le reconnut immédiatement : la bouche généreuse, les grands yeux expressifs, les cheveux coupés courts. Et il y avait autre chose. Même dans cette galerie surpeuplée, il y avait quelque chose d'étrange et de solitaire chez ce garçon. George contemplait avec des yeux fixes, fascinés, et un peu fous les dieux qui dansaient. Seule la largeur de la pièce le séparait de Leaphorn. Dix à douze mètres peut-être.

Leaphorn commença à s'éloigner de la fenêtre, luttant pour s'ouvrir un chemin à travers la foule dense vers le passage qui courait derrière la salle et reliait les deux galeries. Il avançait le plus vite possible, laissant dans son sillage des spectateurs bousculés, des pieds écrasés et des jurons. Le passage, lui aussi, était bondé. Il lui fallut deux

223

bonnes minutes pour se frayer un chemin jusqu'à l'entrée de la salle. Là encore il fut bloqué. Il finit par arriver sur la galerie. Une femme Navajo était debout sur la chaise dont Bowlegs s'était servi. Leaphorn s'enfonça dans la foule sans ménagement, regardant frénétiquement de tous côtés. Le garçon n'était nulle part.

Dehors, pensa Leaphorn. Il a dû sortir.

Dehors, la neige tombait à gros flocons. Leaphorn remonta son col, octroya à ses yeux une seconde pour s'adapter et scruta l'obscurité. Un groupe d'Anglo-Saxons, ivres et bruyants, tourna le coin et se dirigea vers la porte où il se tenait. Et quelque chose, à peine plus qu'un mouvement entr'aperçu, disparut dans la ruelle entre la maison Shalako et l'une des maisons de pierres taillées du vieux village de Zuñi. Leaphorn s'y engagea en courant. La ruelle était totalement plongée dans l'obscurité, d'un noir profond. Il accéléra et s'arrêta à l'autre extrémité.

La ruelle débouchait sur la plaza non éclairée, un peu plus haut que l'église de la mission. Une petite silhouette la traversait lentement. Leaphorn s'arrêta et essaya de distinguer quelque chose à travers les flocons de neige. Etait-ce George ? A ce moment commença une série d'événements dont sa mémoire ne devait jamais parvenir à établir le déroulement exact. Tout d'abord, des ténèbres d'une autre ruelle s'éleva un appel modulé, un hululement. La silhouette s'arrêta, se tourna, lança une exclamation joyeuse qui était peut-être le mot navajo qui signifie « oui ! ». Et Leaphorn resta immobile quelques fractions de seconde, hésitant. Et ce temps qu'il perdit (deux tic-tac à sa montre peut-être cinq) fut

224

suffisamment long pour que George Bowlegs meure.

Juste au moment où la silhouette du garçon disparaissait dans la gueule obscure de la ruelle, Leaphorn s'élança. Il s'élança à corps perdu. Ses bottes glissèrent sur la neige humide et il tomba lourdement sur les mains. Et lorsqu'il parvint à se remettre debout, il avait encore perdu deux ou trois secondes. Ce fut à ce moment-là qu'il entendit le bruit. En fait, le double bruit. Sourd, puis sec. Fort et étouffé à la fois. Tout en courant, il sortit son revolver de son étui. Il s'arrêta à l'entrée de la ruelle, sachant qu'il arrivait trop tard. Il ne se trompait pas. George Bowlegs était étendu sur le côté, juste à l'entrée. Il s'agenouilla à côté de lui. Et puis il y eut un nouveau bruit. Un coup sourd, cette fois-ci, puis un hurlement étouffé, puis un râclement de pieds, puis le silence. Leaphorn s'avança prudemment dans la ruelle, n'entendant rien, ne voyant rien. Il sortit sa torche de sa poche. Devant lui, la neige épaisse ne gardait la trace que d'une paire de bottes puis, sur le seuil désert d'une maison abandonnée, il y avait un fouillis de traces de pas, et plusieurs plumes sur la neige. Il se dit qu'il avait déjà vu ces plumes-là.

C'étaient celles qui ornaient le sommet du masque féroce du Salamobia.

Il dirigea le faisceau de sa torche vers la ruelle. Les traces de bottes s'arrêtaient là. Celui qui les avait laissées avait dû pénétrer dans le bâtiment vide où y être entraîné. Il éclaira l'entrée de la maison. Il y avait de la neige fraîche sur le sol de terre battue. Elle était arrivée là en partie à travers le toit défoncé, et en partie sous les pieds de plusieurs hommes. Il orienta sa torche dans toutes les directions, ne vit rien et revint dans la ruelle, courant jusqu'à l'endroit où gisait George Bowlegs. Il s'agenouilla dans la neige, espérant pouvoir déceler un souffle de vie. J'aspire le vent sacré de ta vie, pensa-t-il. Mais le vent sacré s'en était allé.

Les flocons de neige tombaient dans le faisceau lumineux de sa torche, saupoudraient de blanc les cheveux emmêlés du garçon, s'accrochaient à l'un de ses cils, fondaient sur son visage encore chaud. Leaphorn retourna doucement le corps et fouilla les poches de la veste usée. Dans la poche latérale il trouva un couteau dans sa gaine, une pièce de dix cents, des pommes de pin, un bout de crayon, une loupe pliable, un petit ours sculpté en turquoise. Il avait déjà vu la loupe dans le hogan de Shorty Bowlegs, au milieu du désordre jonchant le sol. George avait dû faire un crochet par le hogan en revenant de la mesa, et il l'avait trouvé abandonné. Il avait dû remarquer le trou percé dans le mur, reconnaître ce signe de la mort survenue dans un hogan, et il avait compris que désormais il était encore plus seul qu'auparavant.

Ce fut alors que Leaphorn aperçut les plumes de prière. George avait dû les tenir à la main, les tendre devant lui pour les offrir. Et lorsque la balle l'avait atteint, il s'était écroulé dessus. C'était un travail remarquable : la baguette de saule avait été polie, et les plumes jaunes et bleues d'oiseau chanteur avaient été disposées avec goût. Et attachée à la baguette de saule au moyen d'une lanière se trouvait une pierre froide symétrique ; une magnifique pointe de sagaie de l'Age de Pierre. Celle-ci n'était pas cassée (fine, à éclats parallèles, une relique qui remontait à sept ou huit mille ans), c'était une offrande parfaite pour les dieux.

Leaphorn ôta son blouson et en recouvrit précautionneusement le visage de George Bowlegs. Venu de l'autre côté de la plaza, à travers l'obscurité, lui parvint le son bref des flûtes et d'un chant lorsque la porte de l'une des maisons Shalako s'ouvrit puis se referma. Derrière lui il y avait un murmure de voix. Trois hommes, emmitouflés dans leurs manteaux pour se protéger de la neige, traversèrent hâtivement la plaza et disparurent dans la ruelle menant à la maison Shalako que lui-même avait quittée. Personne ne semblait avoir entendu la détonation assourdie. Personne à part ceux qui s'étaient emparés de l'assassin et l'avaient traîné dans la maison vide. Leaphorn s'engagea à nouveau dans la ruelle en longeant le mur et en examinant les empreintes dans la neige. L'assassin avait couru. Il portait des bottes. Du quarante-trois évalua-t-il. Peut-être quarante-quatre. Apparemment il l'avait vu après avoir tiré. Mais au moment où il était passé devant cette porte, quelqu'un, quelque chose, l'avait arrêté. Il étudia la neige piétinée, mais les traces étaient déjà atténuées et rendues moins nettes par les flocons qui continuaient de tomber.

A l'intérieur du bâtiment vide, il prit son temps. Il n'avait plus aucune raison de se dépêcher et il analysa méticuleusement ce que les traces avaient à lui dire. Il y avait eu trois personnes chaussées de mocassins. Partant de la ruelle et franchissant le seuil, il y avait les traces faites par des talons de bottes qui avaient traîné sur le sol. Les mocassins avaient traversé deux pièces vides en abandonnant un peu de neige derrière eux, puis des marques

227

fraîches dans une troisième pièce sans toit, et ils avaient rejoint la rue en passant par-dessus un mur écroulé. Là, les traces indiquaient que deux des hommes portaient un lourd fardeau. Leaphorn les suivit pendant environ cinquante mètres. Les traces s'effaçaient rapidement et il les perdit lorsqu'elles traversèrent une rue du village qui avait été abondamment empruntée. Il n'était plus motivé que par une légère curiosité maintenant. Tout était fini.

De retour dans la ruelle, il contempla le corps de George Bowlegs. La neige avait blanchi le blouson de Leaphorn et le jean trop petit du garçon. Il s'accroupit, glissa ses bras sous les jambes et les épaules du corps sans vie qu'il souleva. Il se dit qu'en déplaçant le corps il était encore en train de violer la procédure à suivre selon O'Malley. Mais il n'allait pas laisser le garçon allongé ici, seul dans les ténèbres glacées. Il sortit de la ruelle, le corps dans les bras, surpris par sa légèreté. Puis il s'arrêta conscient de cette ultime ironie : il ramenait Bowlegs chez lui. Mais où cela se trouvait-il pour ce garçon qui avait cherché le paradis ?

20

Dimanche 7 décembre,
9 h 00.

A l'intérieur du camping-car bricolé par Ted Isaacs il faisait curieusement froid et chaud à la fois.

A l'extérieur, le paysage entièrement blanc était une étendue sauvage balayée par la neige, et le véhicule faisait entendre des grincements et des craquements sous les assauts du vent qui soufflait en rafales. Le poêle à kérosène ronflait mais l'air glacé s'infiltrait par les fentes et les interstices, tourbillonnait autour des bottes couvertes de neige de Leaphorn et remontait le long de ses jambes.

– On ne peut pas dire que je m'attendais à avoir de la visite aujourd'hui, dit Isaacs, mais je suis content que vous soyez venu. Dès que ça se lèvera et que les routes auront été un peu dégagées, j'irai à cette communauté pour voir ce que je peux faire pour Susie. Et je voulais vous demander...

– Elle est partie hier. Halsey l'a mise dehors. Elle est venue avec moi quand je suis parti à la recherche de George Bowlegs jeudi, et la dernière fois que je l'ai vue, elle se trouvait au poste de police de Zuñi. C'était hier aux alentours de midi. Les agents fédéraux l'interrogeaient.

– Et maintenant, où est-elle ? demanda Isaacs. Toujours là-bas ?

– Je n'en sais rien.

– Mon Dieu ! J'espère qu'elle n'est pas dehors avec cette neige. (Il regarda Leaphorn). Elle n'a nulle part où aller.

– Ouais. C'est bien ce que je vous ai dit il y a deux jours.

Il n'essayait pas d'empêcher la colère de percer dans sa voix.

– Tenez, reprit-il, je suis venu vous apporter quelque chose.

Il sortit de sa poche le bout de la pointe de sagaie et le tendit à Isaacs.

– Une pointe à éclats parallèles, dit celui-ci. Où l'avez-vous trou...

Il se tut. Se tourna soudain vers les casiers de rangement, ouvrit un tiroir et fouilla à l'intérieur avec des gestes brusques. Lorsqu'il referma le tiroir, il y avait un second morceau de silex dans sa main.

– C'est George Bowlegs qui l'avait, dit Leaphorn. Il l'avait enterré à l'endroit où il a tué un cerf, là-bas, vers le sud-ouest. Une sorte d'offrande fétiche.

Isaacs avait les yeux fixés sur lui.

– Ça correspond bien, hein ? lui demanda Leaphorn.

– J'en ai l'impression.

L'anthropologue déposa les deux éclats sur la table en formica, la partie postérieure d'un pointe qu'il venait de faire glisser de l'enveloppe prise dans le meuble de rangement et l'extrémité que Bowlegs avait enterrée. Toutes deux étaient en bois pétrifié veiné de rose. Les doigts d'Isaacs les ajustèrent. Elles s'imbriquaient parfaitement.

Isaacs leva les yeux, les traits tendus.

– Bon Dieu ! Si Reynolds découvre que le gamin avait pris ça, il me tuera.

Il se tut un instant.

– Mais comment est-ce qu'il a pu la prendre ? Je ne l'ai jamais laissé creuser ici. Ni trier au tamis. Et il n'a pas pu...

– C'est Cata qui le lui avait donnée. Il l'avait volée avec d'autres objets préhistoriques dans cette boîte qui se trouve derrière la cabine du camion de Reynolds. Comme je vous l'ai dit la dernière fois que je suis venu ici. Et il en a donné une partie à George.

– Mais Reynolds a dit qu'il ne manquait rien.

Il se tut, les yeux fixés sur Leaphorn.

– Attendez voir, reprit-il. Il n'a pas pu prendre ça dans le camion. Reynolds ne pouvait pas l'avoir.

Il s'interrompit encore. Tout à coup, il avait l'air accablé.

– Reynolds ne pouvait pas l'avoir, mais il l'avait quand même, dit Leaphorn. Reynolds salait votre champ de fouilles. Ce n'est pas le mot que vous utilisez, saler ? En tout cas, il venait placer ses fragments là où il voulait que vous les trouviez.

– Je ne vous crois pas, dit Isaacs.

Il s'assit. Son visage abattu montrait pourtant qu'il le croyait. Derrière Leaphorn, ses yeux contemplaient la ruine de tous ses espoirs.

– Ernesto a commis son petit larcin au plus mauvais moment, expliqua Leaphorn. Ça anéantissait beaucoup de travail. Reynolds s'est constitué une réserve de ce type de silex que l'Homme de Folsom appréciait. C'était déjà une idée folle. Et ensuite il a préparé ses preuves. A mon avis, il a fabriqué plusieurs pointes à éclats parallèles. Il a précieusement conservé les éclats, les morceaux, et tout. Puis, à partir d'un silex aux caractéristiques identiques, il s'est mis à préparer des pointes semblables à celles que taillait Folsom en utilisant la technique des multiples points d'impact. Il n'avait pas véritablement besoin de fabriquer une pièce parfaite : vous m'avez dit qu'elles sont très difficiles à imiter. Il n'avait besoin que des éclats, des fragments de pièces non terminées.

Leaphorn se tut, attendant qu'Isaacs dise quelque chose. Celui-ci fixait le mur sans le voir.

– La théorie de Reynolds est peut-être exacte,

reprit Leaphorn. Elle paraît tout à fait raisonnable. Mais je suppose qu'il n'était pas disposé à attendre d'en avoir trouvé les preuves. Cette façon dont on s'était moqué de lui avait dû le rendre fou furieux. Il a voulu faire avaler des couleuvres à ceux qui l'avaient critiqué.

– Ouais.

– Je ne sais pas exactement comment il s'y est pris. Il s'est sûrement fabriqué une espèce de truc ressemblant à une pince pour tenir le silex pendant qu'il les enfonçait d'un coup sec jusqu'à la couche dure où vous les avez trouvés. Il ne pouvait pas faire ça à l'avance parce qu'il devait mettre ses faux à l'endroit qu'il fallait par rapport aux objets authentiques que vous découvriez.

– Ouais, dit Isaacs. Il arrivait souvent ici vers la fin de la journée et nous regardions ensemble ce que j'avais trouvé et où je l'avais trouvé. Et puis, pendant que je préparais le dîner, il prenait sa torche et il allait là-bas jeter un coup d'œil au site. Ça doit être à ce moment-là qu'il le faisait. Et c'est pour ça que tout semblait correspondre aussi bien.

Isaacs abattit son poing dans sa paume.

– Bon Dieu ! C'était absolument parfait. Personne n'aurait pu émettre la moindre réserve.

Il leva les yeux vers Leaphorn.

– Et puis Cata a volé quelques-uns de ces faux. Et Reynolds a tué Cata ?

– Pensez-vous que ce soit là une raison suffisante pour le pousser à tuer ce garçon ? demanda Leaphorn.

C'était une chose qu'il ne parvenait pas à comprendre.

– Bien sûr. Bon Dieu, oui. Quand il s'est rendu

compte que certains de ses éclats avaient disparu et que Cata les avait, je pense qu'il ne lui restait plus que ça à faire.

Le doute exprimé par Leaphorn semblait étonner Isaacs.

– Vous ne vous rendez peut-être pas très bien compte de la gravité que cela représente de saler un site. Bon sang ! C'est inconcevable. Notre science toute entière repose sur le postulat selon lequel tout le monde est au-dessus de tout soupçon. Quand ça se saura, Reynolds ne sera pas seulement fini, ce sera bien pire que ça. Personne ne voudra plus entendre parler de lui, ni de ses livres, et tout ce qu'il aura approché de près ou de loin sera sujet à caution.

A cette perspective, Isaacs se recroquevilla sur son tabouret.

– C'est comme..., commença-t-il.

Mais il ne put trouver aucune analogie assez horrible.

Comme d'assassiner un enfant, pensa Leaphorn. Pire que ça, visiblement pour Isaacs. Pire encore que trois meurtres dans l'échelle des valeurs d'Isaacs, tuer n'était qu'une des conséquences secondaires de la faute première, un acte que Reynolds avait été obligé de commettre pour protéger sa réputation.

– C'est absolument inconcevable, conclut Isaacs. Comment avez-vous fait pour découvrir ça ?

– Vous vous souvenez quand vous avez trouvé les fragments de ces pointes cassées exactement au même endroit ? Ça m'a paru bizarre. Quand on vient de passer une heure à essayer de fabriquer quelque chose et que ça se casse tout à coup, il me semble plus naturel de perdre son sang froid et de tout balancer au loin. Et non de le laisser tomber gentiment à ses pieds. Surtout si ça se produit plusieurs fois de suite.

— Je suppose que ça m'a paru un petit peu bizarre à moi aussi, reconnut Isaacs. Seulement je n'ai pas voulu y réfléchir.

— Quand Reynolds a chassé Cata du camion, il a dû vérifier aussitôt et s'apercevoir qu'une partie de ses faux avaient disparu.

Leaphorn extirpa de sa poche la pointe intacte qu'il tendit à Isaacs.

— Celle-ci aussi a été dérobée au même endroit, et probablement d'autres pièces encore. C'était déjà extrêmement grave que Cata ait pris tout ça. Mais qu'il l'ait fait *à ce moment-là* lui a été fatal. Que se serait-il passé si, pris de remords, il avait tout rapporté et vous l'avait rendu à vous ? Vous lui auriez demandé où et quand il avait eu tout ça, et vous auriez su alors que Reynolds enfonçait ces trucs dans la terre pour que vous les trouviez. Ou alors, si le site venait à devenir célèbre, et Reynolds savait que ça allait se produire, inévitablement Cata finirait par parler.

— Alors il est allé tuer Cata, conclut Isaacs. Oui, ça paraît logique.

— Je crois qu'il est seulement allé récupérer ses faux. Je crois qu'il s'est équipé d'un masque de kachina pour que Cata ne puisse pas le reconnaître, et qu'il avait prévu de faire peur au garçon pour qu'il lui rende tout. Mais celui-ci a essayé de lui échapper.

— Si vous ne l'avez pas encore arrêté, il est censé être à Tucson ce week-end mais il revient lundi.

– Il n'est pas allé à Tucson. Quand il a tué Cata, il s'est aperçu que le garçon n'avait sur lui qu'une partie de ce qui avait été volé. Il n'avait pas les pièces les plus compromettantes. Puis Reynolds a appris que Bowlegs était venu ici avec Cata. Donc Bowlegs devait avoir en sa possession ce fragment particulièrement important.

Leaphorn toucha du doigt le bout de la pointe de sagaie.

– Vous aviez déjà trouvé la partie postérieure, poursuivit-il, et Bowlegs avait la pointe. Il était donc obligé de se lancer à la poursuite de George. Il fallait qu'il le rattrape et qu'il soit sûr de récupérer cette pointe avant de pouvoir le tuer. Car Reynolds avait déjà un meurtre à cacher. Quand il est allé rôder du côté de la communauté pour voir si George y était, il a mis le masque de kachina. Si quelqu'un l'avait vu lui, il aurait été dans de sales draps. Mais si quelqu'un prétendait avoir vu un kachina, on allait penser qu'il était fou, ivre, ou tout simplement superstitieux.

– Mais il n'a pas tué George, hein ? demanda soudain Isaacs. Il n'a pas tué George ?

– Il l'a tué cette nuit, répondit Leaphorn. Il l'a raté de peu dans la nuit de vendredi, et quand George est revenu à Zuñi où nous allions pouvoir lui mettre la main dessus, il ne lui restait plus d'autre solution que de le tuer. Je suppose qu'il s'est dit que même si nous trouvions la pointe de sagaie nous aurions un mal fou à prouver quoi que ce soit quand George ne serait plus là pour témoigner.

– Dans ce cas vous allez avoir besoin de ça, dit Isaacs en poussant la pointe cassée vers lui. Ça servira au moins de preuve. Je suis sûr que vous pourrez le faire pendre.

– Nous ne le retrouverons jamais. Je pense que l'on peut dire qu'il existe une loi ancienne qui prime sur le code pénal de l'homme blanc. Elle dit : « Tu ne profaneras pas les coutumes sacrées de Zuñi ».

Il parla à Isaacs des empreintes dans la ruelle.

– Je ne pense pas que quiconque apprenne jamais ce qui est arrivé à Reynolds. D'ici quelques jours, quelqu'un va trouver son camion là où il l'a abandonné, et il va être porté disparu.

Il repoussa la pointe de sagaie vers Isaacs.

– Je n'en ai pas besoin. Cette affaire est du ressort du FBI et le FBI se moque bien des superstitions des Indiens, des silex cassés et de tout ça. Il a une autre solution en tête.

Isaacs prit les éclats de silex et les fit sauter dans la paume de sa main. Puis il fixa son regard sur Leaphorn.

– Vous pouvez faire comme bon vous semblera, lui dit Leaphorn. Le travail que j'avais à faire se limitait à peu de chose. Je l'ai complètement raté. Je devais trouver George Bowlegs. Je l'ai fait, mais trop tard. J'ai raconté à l'agent du FBI ce que j'ai vu et entendu cette nuit. Mais je ne lui ai pas dit ce que j'en ai conclu. Il ne me l'a pas demandé et je ne le lui ai pas dit.

– Vous êtes en train de me dire que seuls vous et moi et Reynolds savons que ce chantier était salé. Et vous m'avez dit que Reynolds est mort...

– Et je vous dis aussi qu'en partant d'ici je vais retourner à la maison chapitrale de Ramah et me remettre au travail sur une affaire de versement non effectué pour l'achat d'un camion.

Isaacs le regardait toujours fixement, sans un mot.

– Alors quoi, s'exclama Leaphorn, vous ne comprenez donc rien à ce que je vous dis ?

Il y avait de la colère dans sa voix. Il prit la pointe de sagaie dans la paume d'Isaacs, écarta les mors de l'étau de l'établi et y maintint le silex tandis qu'il vissait pour refermer l'étau. Sous la pression, la pierre se désintégra.

– Je suis en train de vous demander à quel point exactement vous tenez à avoir une réputation, la fortune, et un travail à l'université ? grinça Leaphorn entre ses dents. Il y a deux jours vous y teniez davantage qu'à votre petite amie. Et maintenant ? Vous y tenez suffisamment pour mentir un peu ? Je suis en train de vous dire que personne ne se doutera jamais que cette saloperie de chantier a été salé à moins que ce soit vous qui le disiez, et on ne vous croira peut-être même pas. Qui donc pourrait croire que le grand Chester Reynolds faisait une chose pareille ? Vous vous imaginez qu'ils iraient croire un policier navajo ?

Leaphorn frotta ses doigts pour en faire tomber la poussière de silex.

– Un flic qui n'a pas le plus petit élément de preuve ?

Il ouvrit la porte du camping-car et sortit dans la neige.

– J'essaye d'en apprendre davantage sur les hommes blancs, ajouta-t-il. Vous faisiez passer tout ça avant la femme que vous aimez. Y a-t-il encore autre chose que vous soyez prêt à sacrifier ?

Il avait laissé son véhicule sur le bas-côté de la route. Le moteur était encore chaud et démarra

237

facilement ; les chaînes firent entendre un bruit assourdi aux endroits où le vent avait dégagé la chaussée. Il allait décrire un cercle en prenant la NM 53 pour atteindre l'autoroute 40 au cas où Susie ferait de l'auto-stop, et s'il la trouvait, il la conduirait jusqu'à Gallup et lui prêterait le billet de dix dollars qu'il avait dans son portefeuille. Et peut-être un jour enverrait-il un mot à O'Malley pour qu'il sache qui avait tué Ernesto Cata. Mais c'était peu probable.

Glossaire

Arroyo : Terme espagnol désignant le lit sec, en général au fond d'une gorge ou d'un canyon, d'une rivière dont l'eau se tarit en été.

Chanteur : (*singer* en américain, *Hataatli* en navajo). Chez les Navajos, il est celui que l'on appelle pour tenir les rites guérisseurs car il est le dépositaire d'un nombre incroyable de ces procédures destinées à libérer le malade de l'emprise d'un sorcier au moyen de chants et de prières associés à des *sand-paintings* (dessins symboliques exécutés avec des sables de couleurs différentes). Mais le chanteur n'est ni un homme-médecin ni un shaman : la guérison est collective, profite d'abord au patient puis, par voie de fait, à l'univers tout entier qui retrouve l'harmonie.

Chindi : Mot navajo désignant le fantôme. Les navajos ne croient pas à un au-delà plaisant après la mort. Au mieux, ils trouvent le néant. Au pire, la partie malsaine et malfaisante de l'individu revient hanter les vivants et leur apporter la maladie et la mort.

Clan : Concept familial très élargi. Chez les Zuñis, il existe aujourd'hui treize clans totémiques. Chez les Navajos, on en dénombre soixante-cinq. (V. famille).

Conseil des Dieux : Sorte de paradis Zuñi ; le terme désigne l'ensemble des esprits ancestraux bienfaisants qui dansent sous les eaux de Kothluwalawa.

Corn Mountain : Le Mont Maïs. Le maïs est l'une des plantes sacrées des Indiens du Sud-Ouest. Par exemple, quantité de rites hopi font appel à l'utilisation de la farine de maïs.

Courge : Autre plante sacrée des Indiens. (Les Navajos en ont quatre : maïs, courge, haricot et tabac). Les jeunes filles Hopi portent la coiffure en fleur de courge : deux rouleaux de cheveux relevés en larges rosaces sur les oreilles.

Cushing, Frank (1857-1900) : anthropologue américain qui se fit accepter des Indiens pueblos du Nouveau Mexique et tint un rôle dans les cérémonies religieuses Zuñi ; il est l'auteur d'ouvrages fondamentaux sur ces Indiens. De son côté, le photographe *Joseph Mora* a ramené des documents extrêmement précieux de son séjour chez les Hopis (1904-1906).

Dinee : Le Peuple ; tel est le nom que se donnent les Navajos.

Emergence : Avant d'atteindre la surface de la terre, les hommes durent émerger des mondes inférieurs (de 4 à 12 selon les mythologies) en empruntant le tronc d'un arbre, perçant les différentes couches successives. Les Navajos émergèrent du dernier monde souterrain, alors envahi par les eaux, en empruntant un roseau.

Famille : Les clans Zuñis sont matrilinéaires exogames (seule l'ascendance maternelle entre en ligne de compte pour l'appartenance au groupe tribal, et les époux ne peuvent venir du même clan) ; le véritable père ne sera donc pas chargé de l'instruction et de la discipline de l'enfant. Ce rôle échoit aux oncles de celui-ci, c'est-à-dire aux hommes de la famille de sa mère (frères, oncles, etc.). Les clans sont généralement matrilocaux : lorsqu'une nouvelle famille se forme, une nouvelle pièce est ajoutée à la maison de la mère, d'où l'apparent fouillis du village pueblo où 25 à 30 personnes habitent parfois dans la même maison. Il convient également de préciser que tous les biens appartiennent à l'épouse, et que si elle se lasse de son mari, il lui suffit un beau jour de déposer les affaires de celui-ci devant la porte pour qu'il reprenne le chemin de son propre clan.

Système également matrilinéaire chez les Navajos, à la différence que les jeunes époux se mettent en quête d'un endroit où construire leur hogan, tant pour s'isoler que pour avoir suffisamment d'espace pour pratiquer l'élevage des moutons. Il faut ici distinguer la notion de clan de ce que Hillerman appelle *outfit* en américain et que nous avons traduit par famille : une sorte de clan géographique élargi permettant aux Navajos isolés de se regrouper à trois ou quatre « familles » afin de coopérer pour certains travaux ou certains rites. Cet *« outfit »* peut regrouper de 50 à 200 personnes.

Fantôme : v. *chindi*.

241

Femme-qui-Change : Dans la mythologie navajo, elle s'accoupla avec le Soleil pour donner naissance aux Jumeaux Héroïques, Tueur-de-Monstres et Fils-Né-des-Eaux. Elle est la seule des *Holy People* (Peuple Sacré) à être entièrement bonne.

Galette : Dans les pueblos, les fours se trouvent à l'extérieur des maisons et l'on y cuit des spécialités locales, notamment des galettes de maïs.

Halona : Le Milieu du Monde pour les Zuñis ; l'endroit où ils habitent et qu'ils ont atteint après la grande migration postérieure à l'émergence.

Hogan : La maison de l'Indien Navajo, sorte de structure au toit arrondi faite de rondins et de boue séchée.

Hopi : Indiens pueblos d'Arizona dont la réserve constitue une enclave dans la réserve principale des Navajos. Les Hopis, dont la mythologie est proche de celle des Zuñis, sont célèbres pour leur Danse du Serpent et leurs statuettes kachinas. Les cérémonies associées au retour des esprits s'appellent Niman (Shalako chez les Zuñis).

Hu-tu-tu : Le Dieu de la Pluie du Sud (Zuñi).

Initiation : Les jeunes Zuñis subissent deux initiations au cours desquelles ils sont fouettés par les kachinas. La première, entre 5 et 9 ans, est une sorte de purification. La deuxième, entre 11 et 14 ans, une véritable initiation qui permet à l'adolescant d'entrer dans le monde des adultes : à la fin de cette seconde flagellation on lui révèle que ce sont des hommes qui portent les masques kachinas.

Jumeaux Héroïques : V. Femme-qui-Change.

Kachina : Essentiellement les esprits ancestraux des Zuñis, mais également les masques portés pour les personnifier et les statuettes qui les représentent. Ils protègent, nourrissent et guident les vivants auxquels ils apparaissent sous la forme d'un nuage de pluie.

Kiowa : Il ne s'agit pas ici des Indiens Kiowa des grandes plaines mais de l'une des tribus Apache.

Kiva : Chez les Indiens pueblos, une chambre cérémonielle souterraine (on y accède par une échelle) où se tiennent et se préparent de nombreuses danses et rites ; il en existe plusieurs par village. Le terme désigne également une fraternité religieuse regroupant des membres appartenant à des clans différents, renforçant ainsi la cohésion de la tribu. Elles sont au nombre de six chez les Zuñis (la kiva de la Taupe, la kiva du Blaireau, etc.).

Koyemshi : Clowns cérémoniels Zuñis nés de l'inceste entre le fils et la fille de Shivanni, le Soleil Père. Ils sont difformes et idiots, mais essentiellement chargés de faire rire par leurs pitreries et de rassurer ainsi les enfants que les kachinas pourraient trop effrayer. Leur corps comme leur masque sont maculés de boue, d'où leur surnom de Tête-Boueuse (*Mudhead* en américain).

Kothluwalawa : L'Endroit-où-Dansent-les-Morts, situé à l'ouest de la réserve.

Longue Corne : *Longhorn* en américain, *Saiyatasha* en Zuñi, le Dieu de la Pluie du Nord.

Loup Navajo : *(Navajo Wolf).* Les sorciers, des hommes ou des femmes décidés à apporter le mal à leurs congénères et à les voler, commettent leurs méfaits la nuit en se dissimulant souvent sous des peaux d'animaux.

Mesa : (mot espagnol). Montagne aplatie caractéristique du relief des états du sud-ouest. Lorsqu'elles ressemblent plus à des collines qu'à des montagnes, elles deviennent des buttes. Et les buttes au sommet arrondi sont des collines (hills). Parmi les mesas les plus connues, citons Mesa Verde, dans le Colorado, haut lieu archéologique, et, en Arizona, les Première, Deuxième et Troisième Mesas sur lesquelles se perchent les villages hopi.

Mort : Les Zuñis croient qu'après la mort, l'esprit du défunt voyage cinq jours avant de rejoindre le lieu où, pour l'éternité, dansent les esprits ancestraux. Il n'existe pas pour eux de dualité entre le bien et le mal, et donc pas d'« enfer ». De leur côté, les Navajos ont une crainte maladive de la mort au point de s'entourer de toutes sortes de précautions et d'éprouver une intense répugnance à toucher un cadavre qu'ils enterrent le plus vite possible dans un lieu secret. Pour eux, il n'y a pas de « paradis », au mieux le repos. Dans la mythologie navajo, les Jumeaux Héroïques, après avoir dérobé les armes au Soleil et massacré les monstres qui apportaient la mort aux Navajos, épargnent une sorte de mort appelée Sa qui regroupe la Vieillesse, la Saleté, la Misère, la Faim et quelques autres.

Navajo : Indiens semi-nomades, autrefois guerriers et pillards, qui ont, au contact des autres civilisations, acquis nombre de techniques et de connaissances. Leur faculté d'adaptation s'est une nouvelle fois vérifiée lors de la Deuxième Guerre mondiale. Ils habitent la plus grande réserve des USA, la terre de leurs ancêtres dont le sous-sol est très riche, et constituent la nation indienne la plus importante du pays (ils sont plus de 130.000).

Neveu : v. oncle.

Native American Church : Organisation religieuse indienne regroupant plusieurs tribus ; elle adapte le christianisme à des croyances et à des rites locaux et autorise en particulier l'utilisation sacramentelle du peyotl.

Oncle : Appellation commune chez les navajos, due à la particularité du système clanique. De même, le terme grand-père n'a qu'un rapport fort lointain avec ce qu'il évoque dans les sociétés occidentales.

Peuple Sacré : Concept Navajo. Les *Holy People* sont capables du bien comme du mal et on peut arriver à les manipuler avec les chants et les prières appropriés : ce sont des animaux (le Coyote), le Peuple du Vent, le Peuple du Tonnerre, etc. Le mot navajo correspondant est yei'i.

Peyotl : Terme mexicain. Plante qui contient de la mescaline laquelle possède la particularité de provoquer des hallucinations. Les Navajos l'utilisent pour avoir des visions.

Playa : Terme espagnol. Terrain creux, généralement à sec, qui après une grosse pluie, se remplit d'eau pour quelques temps.

Plaza : Terme espagnol. Ces places sont au nombre de quatre dans le village de Zuñi.

Plumes de prière : Il s'agit d'un bâton ou d'une baguette ornée de plumes que les Indiens pueblos plantent dans le sol en guise d'offrande et qui permet d'établir un dialogue entre les hommes et les esprits ancestraux. Ces baguettes votives sont appelées paho en langue hopi, prayer plumes en américain, termes parfois traduits en français par plumes-prières ou bâton de prière.

Points cardinaux : Ils jouent un très grand rôle dans les rites religieux. Certaines tribus en dénombrent six, et les enfants reçoivent souvent leur nom en étant présentés au soleil levant.

Chez les Navajos, la porte du hogan fait face à l'est qui symbolise la vie ; l'ouverture pratiquée dans un mur après un décès doit être dirigée vers le nord, qui représente le mal ; l'ouest figure la mort.

Prêtrise de l'Arc : v. Religion.

Pueblo : Village en espagnol. Au contraire des bergers navajo, semi-nomades, les Indiens pueblos (Hopis, Zuñis, etc.) sont des agriculteurs sédentaires. On les trouve exclusivement dans le sud-ouest des USA. Taos, au Nouveau Mexique, est le plus visité des pueblos.

Religion : L'organisation de ces tribus est essentiellement religieuse. Il existe, chez les pueblos, une pluralité de prêtrises et de fraternités qui se partagent l'administration du sacré. La prêtrise de l'Arc, chez les Zuñis, constitue l'exécutif, elle est plus particulièrement chargée des délits et des éventuels conflits avec des voisins, Blancs ou Indiens. Ses membres appartiennent à diverses prêtrises.

Chez les Navajos, le Conseil Tribal est une création récente (vers 1930). Ce peuple n'a jamais été une tribu à proprement parler, ce qui explique le non-respect de certains traités au XIXᵉ siècle : la parole d'un chef de clan n'engageait pas les autres Navajos. Chez eux, il n'y a pas de sociétés religieuses.

Pour l'essentiel, les Indiens du sud-ouest croient à l'interdépendance des choses de la nature et à l'harmonie ou beauté, H'ozRo en navajo, qui doit régner dans leur réserve et, par voie de conséquence, dans l'univers tout entier.

Mais les rites navajo sont, à l'exception de la Voie de la Bénédiction, destinés à guérir, à redonner la santé à l'individu et à restaurer l'équilibre de l'univers, alors que chez les Zuñis les cérémonies religieuses ont pour but d'appeler les bienfaits que les kachinas, ou esprits ancestraux, pourront leur apporter sous la forme de nuages de pluie.

Richesse : Les pueblos sont organisés autour du principe de la subordination de l'individu au groupe, ce qui entraîne un égalitarisme plus ou moins rigoureux ; l'ambition personnelle et l'esprit d'entreprise anglo-saxon n'ont donc guère d'équivalent dans ces sociétés où coutumes et règles séculaires régissent l'attribution des tâches et des terres.

En ce qui concerne les Navajos, le désir de posséder est la cause des pires maux. Citons Alex Atcitty, à qui ce livre est dédié : « On m'a appris que c'était une chose juste de posséder ce que l'on a. Mais si on commence à avoir trop, cela montre que l'on ne se préoccupe pas des siens comme on le devrait. Si l'on devient riche, c'est que l'on a pris des choses qui appartiennent à d'autres. Prononcer les mots « Navajo riche » revient à dire « eau sèche ». (*Arizona Highways,* août 1979).

Rites guérisseurs : A chaque maladie correspond un rite guérisseur qui peut durer jusqu'à neuf jours. Parfois, pour un seul chant, plusieurs centaines de prières et de chansons doivent être exécutées au mot près. Si le chanteur est à la hauteur, la guérison suivra.

Par exemple, la Voie de l'Ennemi permet de guérir celui qui est sous l'emprise d'un sorcier, la Voie du Sommet de la Montagne soulagera celui qui s'est trop approché d'un ours...

Salamobia : Le guerrier kachina chargé d'exécuter les ordres des autres membres du Conseil des Dieux. Chacune des six kivas Zuñi possède son propre Salamobia.

Saiyatasha : Longue Corne, le Dieu de la Pluie du Nord chez les Zuñis.

Shalako : Ce terme désigne aussi bien les cérémonies présidant au retour des esprits ancestraux Zuñi que certains de ces kachinas : ce sont les oiseaux-messagers des Dieux, forme pyramidale de presque trois mètres de haut portée par un seul homme. Les fêtes de Shalako ont lieu vers la fin de novembre ou le début de décembre.

Shivanni : Le Soleil Père (Zuñi).

Sorciers : Hommes ou femmes qui on décidé de faire le mal, très présents chez les Hopi et les Navajo surtout.

Vision : Les pueblos évitent l'extase et la vision que recherchent beaucoup d'autres Indiens par le jeûne, la contemplation du soleil et l'absorption d'hallucinogènes.

Voie : Rite guérisseur navajo tels la Voie de la

Beauté ou la Voie du Sommet de la Montage. Seule la Voie de la Bénédiction a un but préventif en enseignant comment le Peuple Sacré a créé le Peuple de la Surface de la Terre, et comment il lui a communiqué les techniques nécessaires pour y vivre.

Yeibichai : Neuvième et dernière nuit de la Voie de la Nuit au cours de laquelle les exécutants portent des masques (navajo).

Yucca : (mot haïtien). Plante arborescente à tige ligneuse dont les Indiens du sud-ouest ont toujours tiré un maximum de ressources, tant au niveau alimentaire que vestimentaire ou pratique (cordes, paniers, etc.).

Wash : Lit de rivière à sec pendant une partie de l'année qui peut brutalement se transformer en torrent à la suite de pluies abondantes tombées parfois loin en amont.

Zuñis : Peu nombreux, vivant en accord avec leurs coutumes ancestrales, ils ont su préserver leur identité au fil des siècles. Ce sont avant tout des agriculteurs travaillant une terre aride. Ils sont 5.500 à vivre sur la réserve du pueblo le plus important du Nouveau Mexique.

Rivages / noir

Rivages / Mystère

Achevé d'imprimer sur rotative
par l'imprimerie Darantiere
à Dijon-Quetigny
en juillet 2003

Dépôt légal : avril 1994
N° d'impression : 23-0820

Imprimé en France